O Eneagrama e a igreja

O Eneagrama e a igreja

*Sabedoria para a liderança, a adoração
e a vida congregacional*

TODD WILSON

Traduzido por Cecília Eller

Copyright © 2021 por Todd Wilson
Publicado originalmente por InterVarsity Press, Downers Grove, Illinois, EUA.

Os textos bíblicos foram extraídos da *Nova Versão Transformadora* (NVT), da Tyndale House Foundation, salvo indicação específica.

Todos os direitos reservados e protegidos pela Lei 9.610, de 19/02/1998.

É expressamente proibida a reprodução total ou parcial deste livro, por quaisquer meios (eletrônicos, mecânicos, fotográficos, gravação e outros), sem prévia autorização, por escrito, da editora.

Edição
Daniel Faria

Revisão
Ana Luiza Ferreira

Produção e diagramação
Felipe Marques

Colaboração
Gabrielli Casseta

Adaptação de capa
Júlia Azevedo

CIP-Brasil. Catalogação na publicação
Sindicato Nacional dos Editores de Livros, RJ

W721e

    Wilson, Todd
      O eneagrama e a igreja: sabedoria para a liderança, a adoração e a vida congregacional / Todd Wilson ; tradução Cecília Eller. - 1. ed. - São Paulo : Mundo Cristão, 2024.
      224 p.

      Tradução de: The enneagram goes to church: wisdom for leadership, worship and congregational life
      ISBN 978-65-5988-312-7

      1. Personalidade - Aspectos religiosos - Cristianismo 2. Eneagrama. 3. Teologia pastoral. 4. Liderança cristã. I. Eller, Cecília. II. Título.

24-88926

CDD: 253.019
CDU: 27-46

Publicado no Brasil com todos os direitos reservados por:

Editora Mundo Cristão
Rua Antônio Carlos Tacconi, 69
São Paulo, SP, Brasil
CEP 04810-020
Telefone: (11) 2127-4147
www.mundocristao.com.br

Categoria: Igreja
1ª edição: maio de 2024

A Beth Jones, que nos apresentou o Eneagrama.
A Suzanne Stabile, que nos ensinou o Eneagrama.
E a Gerald Hiestand, Jonathan Cummings e Zach Wagner,
que exploraram o Eneagrama conosco.

Sumário

Introdução: *Pastorear é cuidar de pessoas* — 9

1. Toda verdade é verdade de Deus — 21
   Como transpor o Eneagrama para uma tonalidade cristã
2. Três maneiras de transitar pela vida — 43
   Pensar, sentir e fazer
3. Pastoreando o rebanho — 69
   Nove maneiras de ser pastor
4. Liderança — 93
   A arte da consciência
5. Pregação — 111
   A verdade por meio da personalidade
6. Adoração — 137
   Onde estiverem nove reunidos em meu nome
7. Cuidado congregacional — 153
   Ajustando-se ao jeito dos outros
8. Trabalho em equipe — 173
   É tudo sempre pessoal
9. Igrejas — 195
   São como famílias

Conclusão: *É impossível dar o que não se tem* — 207

Agradecimentos — 215

Notas — 217

Sobre o autor — 223

Introdução

Pastorear é cuidar de pessoas

Um dia desses, minha esposa Katie e eu estávamos caminhando e desfrutando uma de nossas conversas costumeiras acerca de como andam as coisas. Como vai nosso casamento? Como estão os filhos? Como vai a vida familiar? Quais são nossos objetivos para os próximos seis meses? O que aprendemos recentemente sobre Deus, a Bíblia, o mundo ou nós mesmos?

Em algum momento do caminho — não me lembro do que exatamente estávamos falando — um pensamento passou rapidamente por minha cabeça. Não faço ideia de onde ele veio. Mas tive a certeza de que era importante. Foi por isso que, em vez de ignorar, decidi verbalizá-lo.

— Katie — comecei meio hesitante —, sabe de uma coisa?

— Diga, amor!

— *Se eu tivesse conhecido o Eneagrama antes, teria sido um pastor muito melhor.*

Foi assim que consegui me expressar, como se estivesse fazendo uma confissão há muito postergada. Senti alívio tão logo as palavras saíram de minha boca. Ficou claro que elas provinham lá do fundo do coração.

— Faz muito sentido — Katie respondeu gentilmente, ciente de que estava lidando com algo delicado, como uma criança que segura um casulo na palma da mão. Ela também reconheceu que eu havia acabado de fazer muito mais uma confissão do que uma mera declaração.

Bem ali, em meio a uma avenida movimentada na cidade de Oak Park, Illinois, eu admiti uma verdade que era também uma lição de humildade em relação a mim e a meu ministério.

Eu era pastor havia quinze anos e, nos últimos dez, atuava como pastor titular da Calvary Memorial Church, uma grande e diversificada igreja nos arredores de Chicago. Ao longo dessa década de pastorado, a igreja passou por altos e baixos, momentos emocionantes e dolorosos. Nessa época, porém, as coisas iam bem. Eu estava contente e a congregação, prosperando.

Foi por isso que disse a Katie que meu comentário sobre o Eneagrama não provinha de uma sensação de fracasso ou arrependimento, mas, sim, de um lugar de anseio e de oportunidades perdidas. Não falei por me sentir culpado de lidar inadequadamente com o pastorado, mas por ter amadurecido ao longo dos anos — graças, em grande medida, à sabedoria do Eneagrama.

Lembro-me muito bem de quando fui apresentado ao Eneagrama. Anos atrás, estávamos de férias com parentes às margens do lago Wawasee, no norte de Indiana. Naquele verão, Katie e eu passamos inúmeras horas ensinando as crianças a praticar esqui aquático, pegar sapos com uma rede e peixes com vara de pesca e boia.

Minha cunhada Beth também estava lá. Mas ela passava as tardes reclinada em uma confortável poltrona, devorando seu exemplar já bem gasto do clássico de Don Riso e Russ Hudson, *A sabedoria do Eneagrama*.

Deveria ser a terceira ou quarta vez que ela lia o livro. Já estava caindo aos pedaços.

Sempre que vejo alguém entusiasmado, debruçando-se

sobre um livro como se fosse um bebezinho recém-nascido, fico interessado. Não consigo evitar. Sou apaixonado por livros, e se encontro alguém apreciando uma leitura preciso obter mais informações.

— Ei, Beth, que livro é esse? — perguntei meio nervoso, preciso confessar, pois havia notado na capa uma figura esquisita, parecida com um pentagrama, e isso me fez pensar: "Não é possível que minha cunhada esteja envolvida com satanismo!".

— Ah, é um livro sobre o Eneagrama — foi sua resposta.

— Ene-o quê? — indaguei, um tanto incrédulo.

— Ene*agrama* — disse ela, com ênfase confiante dessa vez. E prosseguiu: — É um sistema de classificação de personalidade. Ensina que há nove tipos diferentes de personalidades. Todd, você precisa dar uma olhada. Acho que vai gostar.

— Sério? — perguntei. Mal conseguia mascarar meu ceticismo.

Veja bem, naquela época, conversar sobre tipos de personalidades não era muito minha praia, quanto menos debates confusos envolvendo "asas", setas" ou "mensagens perdidas da infância". Para mim, era tudo uma psicobaboseira só.

Veja bem, eu era pastor e teólogo, um erudito, doutor pela Universidade de Cambridge, e preferia me aprofundar em temas intelectuais mais densos do movimento evangélico conservador reformado. Aquela era minha galera — gente que lia as obras de John Piper, escutava os sermões de Tim Keller, frequentava páginas como The Gospel Coalition e debatia os pontos mais minuciosos do calvinismo e do complementarismo.

Essa era minha tribo teológica, não Richard Rohr, Rob Bell ou o protestantismo liberal.

Se já houve alguém improvável de se converter ao Eneagrama, esse alguém era eu.

E no entanto, embora eu tivesse muitos motivos teológicos e eclesiásticos para evitar o Eneagrama, eu sabia que havia razões muito pessoais, práticas e convincentes para iniciar uma amizade.

Para começo de conversa, a nossa é uma família grande e complexa. Minha esposa e eu temos o orgulho (e, com frequência, o caos) de ter sete filhos. São três meninas e quatro meninos. Um está na faculdade, três estão no ensino médio, um no fundamental 2 e dois no ensino fundamental 1. Nossos sete filhos estudam em quatro escolas diferentes, com diferentes (como você já deve imaginar) currículos, protocolos, administradores e agendas de férias. Eles têm entre dez e dezenove anos. Os mais novos são gêmeos e estão no quinto ano, encerrando a fila de nossa família Buscapé.

A vida no lar é, digamos, complicada. É fácil ficar sobrecarregado pelo burburinho de atividades e o fluxo infindável de necessidades e desejos. Para falar a verdade, às vezes eu me sinto como o prefeito de uma cidade pequena, exceto pelo fato de que não preciso concorrer à reeleição nem posso me aposentar.

Manter a casa limpa e a geladeira abastecida é, naturalmente, uma tarefa dantesca. Mais difícil ainda é o vaivém para levar e buscar as crianças no futebol, na ginástica e no dentista.

Para ser franco, porém, mais assustadora para nós do que a complexidade da agenda de nossos filhos é a *ampla variedade de suas personalidades*. Some a tudo isso também as nossas — da minha esposa e a minha. Pronto: são nove pessoas diferentes, com *nove maneiras diferentes de enxergar o mundo*, convivendo sob o mesmíssimo teto. Não deveria haver alguma lei contra algo assim?

Gostaria que você imaginasse por um momento toda a dinâmica relacional e interpessoal envolvida, por exemplo, em uma simples refeição em família. Ou pense em como negociar a qual filme assistir juntos, onde sair para jantar ou o que fazer no sábado à tarde: Liza quer dormir, Annie-Clare quer sair com os amigos, Addis quer desenhar ou ler, Rager quer passear, Katie quer testar uma receita nova e eu quero checar os e-mails.

Então, como você já deve ter entendido, naquele período de férias em família anos atrás, eu não estava exatamente em busca do Eneagrama. Não tinha necessidade teológica nem predisposição para nada do tipo. Como marido e pai, porém, eu de fato precisava entender melhor as pessoas — a começar pelas pessoas queridas que vejo toda manhã ao acordar.

Ficou ainda mais claro que havia no Eneagrama sabedoria capaz de mudar o jogo para mim, e enquanto minha cunhada Beth e eu conversávamos ela me explicou os nove tipos de personalidade do Eneagrama, ou os Nove Números.

— O Um — explicou Beth — é chamado de Perfeccionista. Tem padrões muito elevados, sempre enxerga o que precisa ser melhorado e tem dificuldades para lidar com a raiva que se transforma facilmente em ressentimento.

— Uau! — comentei. — Que interessante! Conhecemos alguém tipo Um? — perguntei curioso.

— Sim, conhecemos.

— Quem?

— Mamãe — foi sua resposta.

— Ah, faz muito sentido!

E assim prosseguimos, Beth me descrevendo cada um dos nove tipos e eu sorvendo cada gota do que ela dizia. Ao fim de uma hora de conversa, eu estava em algum ponto entre intrigado e encantado, algo conhecido no passado como um "momento eureka!".

Katie estava lá comigo, apreciando tudo também. Não foi difícil para nós entender a relevância imediata do Eneagrama para nossa grande e complexa família. Mas também ficou claro que o Eneagrama poderia lançar luz sobre questões de nosso casamento. Sempre tivemos um relacionamento sólido, mas não perfeito. Nós também não somos perfeitos. Descobri que o Eneagrama torna isso absolutamente claro — e, às vezes, de formas estarrecedoramente concretas.

Logo Katie e eu estávamos devorando todo material de Eneagrama a que conseguíamos ter acesso, aprofundando-nos em cada aresta e ângulo de nossa personalidade, nosso casamento e nossa vida, a fim de descobrir sobre quais pontos o Eneagrama poderia lançar nova luz. Foi um período muito intenso de sondagem espiritual e psicológica.

Após meses refletindo sobre o Eneagrama e compartilhando seus ensinos, minha mente se afastou de mim, de meu casamento e de minha família, na direção de outra parte extremamente importante de minha vida: meu trabalho como pastor de igreja.

Mas e a igreja?, lembro-me de ter pensado. *O Eneagrama tem algo de útil a dizer sobre pastorear uma congregação, trabalhar com uma equipe ou liderar pessoas? E a pregação, a adoração ou o cuidado congregacional? Será que o Eneagrama pode me ajudar a refletir sobre todas essas coisas relacionadas à vida da igreja?*

Minha mente fervilhava com esses pensamentos. Não conseguia deixar de imaginar que o Eneagrama tinha algo único — e essencial — para acrescentar à vida e ao ministério eclesiástico, bem como ao meu ministério nas igrejas onde fui chamado a servir.

Mas o quê, exatamente?

Sabedoria sobre pessoas

Quando fui chamado para a Calvary Memorial Church, no outono de 2008, eu era o décimo terceiro pastor da igreja em seus cem anos de história. Eu tinha apenas 32 anos de idade e era a primeira vez que assumia a posição de pastor titular. Situada no coração de Oak Park, a Calvary era a maior congregação evangélica da região, atraindo adoradores de várias cidades vizinhas.

Vinte e cinco anos antes, Billy Graham, o evangelista de renome mundial, havia consagrado o novo prédio da igreja, e Jimmy Carter, presidente dos Estados Unidos, enviara uma mensagem dando os parabéns, que foi lida na ocasião. Era a Calvary, não uma igreja qualquer.

Quando recebi o chamado para pastorear a Calvary, estava me unindo a uma igreja que transbordava de orgulho e tradição e que era, não posso deixar de dizer, bastante complexa em sua composição demográfica e socioeconômica, pelo menos em parte por ter sido plantada no meio de Oak Park, uma comunidade urbana pertencente à grande Chicago.

Na época, eu me sentia bem preparado para assumir essa gigantesca responsabilidade. Felizmente, eu havia sido o beneficiário de uma formação teológica de excelência, de mentores pastorais maravilhosos e de várias experiências extraordinárias com outras igrejas. Muitos amigos estavam torcendo por mim, e minha esposa e minha família se alegraram a meu lado. O que me faltava?

Conforme ficou claro depois, algo muito, mas muito importante — especialmente para pastores.

Sabedoria.

Faltava-me sabedoria em relação às pessoas — quem elas são e como funcionam.

É claro que eu sabia bastante grego e hebraico, exegese bíblica, teologia sistemática, homilética, liderança e desenvolvimento organizacional, educação cristã, pequenos grupos, missão e espiritualidade. Aliás, eu era um exímio especialista na Bíblia, com diplomas e publicações acadêmicas para comprovar.

Mas, quando se tratava de lidar com pessoas — pastoreá-las com empatia e engajá-las com sensibilidade, fazendo bom uso de suas diferentes personalidades e formas de ver o mundo — eu ainda não podia nem ser chamado de amador. Meu entendimento sobre pessoas e como elas funcionam era, no máximo, de nível fundamental.

Como eu gostaria de ter conhecido o Eneagrama naquela época!

O Eneagrama teria me poupado de milhares de gafes pastorais e me ajudado a conduzir uma congregação complexa nos caminhos de Jesus. O Eneagrama teria me dado sabedoria — exatamente o tipo de sabedoria de que um pastor necessita, mas que é tão difícil de aprender no seminário.

Não me entenda mal. Não estou falando de um método infalível para o sucesso pastoral. O Eneagrama não é nada disso. Pastorear uma igreja local não é para os fracos de espírito, e o Eneagrama não é nenhuma panaceia para os problemas ministeriais. O trabalho eclesiástico sempre é caótico, com frequência exaustivo, em geral tedioso e, às vezes, de partir o coração. Todo pastor lhe dirá isso. Não há como se esquivar.

Mas aqui está uma verdade esclarecedora que todo pastor experiente sabe. Nós, seres humanos, somos criaturas magníficas, misteriosas e, sim, enlouquecedoras. Somos fascinantes e frustrantes, curiosos e complexos, belos e bagunçados — tudo ao mesmo tempo.

E, sejamos francos, pastorear uma igreja é, em última instância, *uma atividade intensamente voltada para pessoas.* O pastor é chamado, dentre muitas outras responsabilidades, a conhecer, servir, amar e apoiar todos esses magníficos quebra-cabeças que chamamos de "pessoas" e que se sentam nos bancos a cada domingo.

É claro que liderar uma igreja envolve muitas coisas. Sim, é preciso cuidar do ministério e das missões, de construções e orçamentos, de cuidados e conexões, de Deus e do evangelho. Tudo isso é gloriosa e esplendidamente verdadeiro. *Em sua essência, porém, pastorear é cuidar de pessoas.*

O elemento central do ministério pastoral é a *ecclesia*, a igreja, que o antigo credo conhecia como a "comunhão dos santos" e que o testemunho bíblico define como "o corpo de Cristo". Os pastores são chamados a sujar as mãos servindo esse ajuntamento do povo de Deus proporcionado pelo Espírito, pessoas preciosas feitas à imagem de Deus e redimidas pelo sacrifício de Cristo.

Por isso, eu repito. Pastorear é cuidar de pessoas — conduzir, servir, liderar e amar pessoas. Nada menos.

É por isso que estou convencido de que teria sido um pastor bem melhor se tivesse conhecido o Eneagrama — pelo simples motivo de que esse sistema fascinante de classificação das personalidades está repleto de informações preciosas sobre quem as pessoas são e como funcionam, que é exatamente aquilo de que os pastores necessitam.

Porque pastorear é cuidar de pessoas.

A jornada à frente

Nos últimos anos, o Eneagrama explodiu no cenário do cristianismo evangélico. Ele já circulava em meio às tradições católica e protestante histórica décadas antes, em grande medida por causa da influência de Richard Rohr e da popularidade de seu livro *O Eneagrama: As nove faces da alma*, escrito em coautoria com Andreas Ebert. Fora desses círculos, poucos haviam ouvido falar sobre o Eneagrama.

Em 2016, porém, as coisas mudaram, e mudaram depressa. Foi quando Ian Morgan Cron e Suzanne Stabile lançaram nos Estados Unidos o sucesso de vendas *Uma jornada de autodescoberta: O que o Eneagrama revela sobre você*. O livro teve enorme êxito comercial, impulsionado pelos populares podcasts dos autores sobre o Eneagrama, bem como pelas oficinas e seminários realizados por Suzanne em todo o país.

Logo foram lançados mais livros de outros autores sobre o assunto. Não demorou muito para que grandes veículos como a revista *Christianity Today* começassem a publicar artigos sobre o Eneagrama. Até mesmo a rede de tradição reformada The Gospel Coalition começou a analisar aquilo que parecia um movimento genuíno dentro do mundo evangélico — uma febre do Eneagrama, por assim dizer.

Hoje seria difícil encontrar um cristão evangélico com menos de trinta anos — seja nos círculos mais liberais ou nos mais conservadores — que jamais tenha ouvido falar sobre o Eneagrama. A maioria saberia dizer o próprio número no Eneagrama — e o seu também!

O Eneagrama está por toda parte. Viralizou.

À medida que o interesse pelo Eneagrama se espalha como incêndio em floresta seca, muitos cristãos me perguntam se ele tem desdobramentos interessantes ou aplicações relevantes para a vida da igreja. Alguns são pastores, mas muitos não. São apenas leigos interessados que querem fazer uso de qualquer conhecimento útil que os ajude a transitar por sua experiência dentro do corpo de Cristo.

"O Eneagrama deve entrar na igreja?", perguntam.

Uma vez que você está lendo este livro, suponho que já esteja familiarizado com o Eneagrama. Talvez já saiba qual é seu número. É possível que já tenha se beneficiado, na esfera pessoal ou profissional, da sabedoria do Eneagrama. Ele ajudou você a obter mais consciência e sensibilidade acerca de si mesmo e dos outros, enriquecendo seu entendimento sobre quem você é e quem os outros são.

Também presumo que você se sente empolgado com o que o Eneagrama tem a oferecer e quer compartilhar suas reflexões com aqueles que ama e com quem divide a vida — inclusive com sua família da fé.

Talvez você seja pastor ou líder de igreja. Talvez trabalhe em uma organização cristã sem fins lucrativos ou ministre a universitários. Quem sabe seja professor de escola dominical, líder de pequeno grupo, missionário ou voluntário no ministério de jovens ou de louvor em sua igreja.

Seja qual for o cenário, você já provou do poder transformador do Eneagrama e deseja mais. Você se convenceu, e com razão, de que o Eneagrama pode ajudá-lo a se tornar um ministro melhor para os outros, seja como pregador, professor, líder, voluntário, amigo ou colega. E o mais importante: você acredita que o Eneagrama pode ajudá-lo a se tornar um seguidor de Jesus cada vez mais dedicado e capacitá-lo para ajudar outros em suas jornadas espirituais.

Em outras palavras, você quer levar o Eneagrama para a igreja — para a *sua* igreja — e compartilhá-lo com outros a fim de que também se beneficiem da sabedoria que ele contém. Contudo, você não sabe ao certo como fazer isso. Por onde começar? Como o Eneagrama se aplica à igreja? Como ele pode enriquecer o ministério cristão, em lugar de distraí-lo — ou, pior ainda, *reduzi-lo*?

Se essas são algumas de suas perguntas, você está no lugar certo. Escrevi este livro para você.

Mas espere um minuto...

Não tão rápido.

E se você não tiver certeza de que o Eneagrama deva ser levado para a igreja? Ou pelo menos você não tem certeza de que ele deve ir para a *sua* igreja. Talvez você se preocupe com as origens do Eneagrama ou com alguns de seus ensinos. Ele é cristão, ou cristão o bastante, para se sentar no banco a meu lado em uma manhã de domingo?

Se você luta com esses questionamentos, ou então se trabalha ou cultua com alguém que pensa dessa forma, permita-me dizer que hoje também é seu dia. Pegue outra xícara de café, passe para o próximo capítulo e permita-me compartilhar algo muito útil que aprendi anos atrás, quando estava no seminário.

1

Toda verdade é verdade de Deus

*Como transpor o Eneagrama para
uma tonalidade cristã*

Se você estiver dirigindo no sentido norte da rua North Washington, em Wheaton, Illinois, chegará à avenida College. Se, nesse cruzamento, você olhar para a esquerda, verá a histórica College Church, onde passei muitos anos felizes como aluno, estagiário e depois pastor associado. Caso volte o olhar para a direita, porém, desfrutará uma visão panorâmica do campus de meu amado seminário, o Wheaton College.

A quase vinte metros do cruzamento entre a rua North Washington e a avenida College, é possível ver uma estrutura de pedra grande e proeminente, erguida sobre o pano de fundo do gramado do campus universitário. Nela está inscrito o lema sagrado da instituição: *Por Cristo e seu reino.*

Ao visitar o campus, é impossível não ver a placa. Sua posição imponente e incontestável no extremo sudoeste da instituição com certeza faz exatamente aquilo que intencionaram seus planejadores. Anuncia aos visitantes e lembra aos residentes a razão de ser daquela faculdade — seu motivo para existir, sua missão. Uma instituição de ensino superior na qual tudo passa pelo crivo de Cristo.

Aqueles, porém, que passam tempo no campus como alunos, funcionários ou docentes ficam sabendo de um segredinho.

Há outra frase de efeito que talvez exerça influência ainda maior sobre a experiência educacional no Wheaton College: *Toda verdade é verdade de Deus.*

O dr. Arthur Holmes, célebre filósofo cristão e por muito tempo membro do corpo docente do Wheaton College, foi o responsável por introduzir essa expressão agostiniana na corrente sanguínea de faculdades e universidades cristãs de todo o país, de tal modo que hoje o conceito é tacitamente aceito como parte do ensino superior cristão.

E o que ela significa?

Nos termos mais simples, "Toda verdade é verdade de Deus" quer dizer que verdade é verdade — não importa quem a disse ou onde foi encontrada. Se é verdade, então não interessa se quem falou foi um cristão ou um não cristão, se foi seu professor da escola dominical ou um ateu secular. Continua a ser verdade. E, por ser verdade, pertence a Deus. Pois toda verdade é, de maneira bem literal, verdade de Deus. Ele é dono de cada pedacinho dela.

Como isso é possível?

"Todd, você está me dizendo que não importa se quem falou a verdade foi Jay-Z ou Rick Warren, Bill Gates ou Beth Moore, o Dalai Lama ou David Platt? Não importa quem fala, continua a ser verdade?"

Sim, é isso mesmo.

Pode conferir. Nós, cristãos, afirmamos que a verdade é uma só. Há unidade na verdade. Ela não é plural, mas singular. Toda verdade, onde quer que a encontremos neste vasto mundo, é verdade de Deus e, em última instância, se origina na mente de Deus. Se for realmente verdade, então de fato refletirá a mente de Deus — que é uma, não muitas.

Muito bem. Passemos agora para questões mais concretas.

Pense comigo. Não importa se a verdade é uma observação da ciência, um insight de um clássico literário ou uma fórmula matemática; se é verdade, então esse retalho de verdade — a despeito de sua significância — pertence ao grande tecido único da verdade, cuja soma é entretecida pelas mãos de Deus. Em outras palavras, toda verdade é verdade de Deus.

Em meu período em Wheaton, estudei filosofia. Foi um curso fabuloso que me apresentou a algumas das maiores mentes da tradição ocidental, luminares como Platão e Aristóteles, Agostinho e Tomás de Aquino, Descartes e Hume, Kierkegaard e Kant.

Nem todos esses pensadores, é claro, eram cristãos. Alguns eram, mas muitos deles não. Aliás, alguns eram abertamente hostis à fé cristã, tais como o cético britânico David Hume, o racionalista holandês Baruch Spinoza e o infame ateu alemão Friedrich Nietzsche.

Contudo, eles e muitos outros tinham tanto coisas profundas quanto *profundamente verdadeiras* a dizer. Não significa que foram inspirados por Deus para isso, pelo menos não como tendemos a pensar em inspiração. Estou apenas afirmando que até mesmo os mais agressivamente anticristãos entre eles tinham acesso à verdade no mundo de Deus por meio do uso da mente que Deus lhes concedeu. Assim, sempre que disseram algo verdadeiro, estavam corretamente descrevendo a realidade conforme a conhecemos — e conforme Deus a conhece.

Talvez você tenha dificuldade em aceitar tudo isso. Sem problemas. Eu também não achei fácil fazer as pazes com o fato libertador de que toda verdade é verdade de Deus.

Deixe-me compartilhar uma história que começou a deixar isso claro para mim.

24 • O ENEAGRAMA E A IGREJA

Em meu primeiro ano em Wheaton, fiz uma matéria de filosofia avançada que se chamava "Fé e Razão". A disciplina explorava a interface fascinante que existe entre — isso mesmo — a fé e a razão. O que conhecemos pela fé e somente pela fé e o que conhecemos pela razão, sem o auxílio da fé? Foi esse tipo de questionamento que analisamos ao longo de todo o semestre.

Como eu estava apenas no segundo semestre do curso, ainda não havia digerido toda a filosofia educacional de Wheaton. Por isso, de tempos em tempos eu precisava morder a língua para não questionar uma ou outra coisa que o professor falava. E isso aconteceu de maneira mais memorável na matéria "Fé e Razão".

Não consigo me lembrar exatamente do que o professor estava falando, mas me recordo que de repente me veio à cabeça — como se fosse uma iluminação celestial — o fato de que muitos dos filósofos que estávamos estudando não eram cristãos. Estávamos nos debruçando sobre suas obras acadêmicas, mas eles não poderiam nem se candidatar a estudar ali, no Wheaton College!

"Como assim?", pensei comigo. "Por que estamos lendo o que essa gente disse? O currículo não poderia dar foco a vozes cristãs simpáticas? Sem dúvida, há muitas para escolher!"

Assim, decidi lançar esse argumento ao professor. Fiz minha pergunta da maneira mais incisiva que pude, chegando até mesmo a citar a célebre declaração de Jesus: "A árvore boa não pode produzir frutos ruins, e a árvore ruim não pode produzir frutos bons" (Mt 7.18).

Em minha mente, o assunto estava encerrado — com a Bíblia me apoiando! Somente cristãos (a saber, árvores boas) podem produzir frutos bons (ou seja, ideias verdadeiras). Logo, pensei, não cristãos como Nietzsche, Hume e Spinoza só podem produzir frutos ruins (isto é, ideias falsas).

"Não é verdade, professor?", perguntei.

Não consigo me lembrar exatamente qual foi a resposta que ele me deu. O que me recordo vividamente é da expressão em seu rosto ao responder. Ficou estupefato, sem saber ao certo se aquela era uma pergunta realmente séria e sincera. Imagine dizer para o presidente da sociedade terraplanista que este amável lugar que chamamos de lar é, na verdade, esférico. Ele ficaria incrédulo, horrorizado!

Foi mais ou menos isso que transpareceu no rosto daquele abalado professor. Sem dúvida, ele estava se perguntando como eu havia sido aceito na faculdade ou como havia passado quase seis meses no campus sem entender o fato de que toda verdade é verdade de Deus. Não digo isso para desabonar esse professor em particular. Ele era excelente em muitos aspectos e, no fim das contas, abordou minha pergunta com paciência, apresentando uma resposta que esclareceu bastante sem provocar atritos.

Mas por que estou contando isso?

Porque algumas pessoas ficam ansiosas com a questão do Eneagrama na igreja. Ficam ansiosas pelo mesmo motivo que eu, um cristão fervoroso, me preocupei ao dedicar tanto tempo a aprender a filosofia de Hume, Spinoza ou Nietzsche, sobretudo em uma faculdade *cristã*! Alguns dos críticos e céticos em relação ao Eneagrama se sentem da mesma forma. Dá para entender.

Não faz muito tempo, um bom amigo meu publicou em uma rede social que o Eneagrama era — veja só — "um horóscopo para intelectuais".

Ai! Doeu.

Outros, porém, têm expressado suas preocupações de maneiras menos contundentes, porém mais persuasivas. Colocaram em caneta e papel — ou, pelo menos, em alguns posts em blogs — uma mensagem de advertência a outros cristãos para que não mergulhem tão depressa no mundo do Eneagrama.

"Há razões para ter cautela", insistem.

Que razões são essas? São muitas. A maior preocupação, porém, é a seguinte: *O Eneagrama não é cristão*. Alguns se inquietam com a possibilidade de que, ao entrar na igreja e cativar a atenção dos cristãos, o Eneagrama promoverá formas *subcristãs* de pensamento. Sua presença nos bancos só incentivará os cristãos a se entusiasmar com asas, setas e subtipos, em vez de batismo, comunhão ou oração. E isso tão somente acelerará o triunfo de uma visão de mundo terapêutica.

Devo confessar que me identifico com essa preocupação básica. Não quero parecer mais um velho ranzinza, mas, para ser franco, a última coisa que a maioria dos cristãos ocidentais modernos precisa é de mais uma moda para se fixar, sobretudo se não ajudar a promover o amor a Deus e ao próximo. A igreja sem dúvida não necessita de mais um motivo para se distrair da obra de fazer discípulos e servir nossa comunidade. Precisamos de toda ajuda que pudermos obter para viver mais como Jesus.

Ouço um amém?

É verdade. Eu me preocupo que, se o Eneagrama entrar na igreja, ele atrapalhe cristãos comuns a viver sua fé de maneira rica e pautada pela Bíblia. Preocupo-me que alguns cristãos se apaixonem mais por tipos de personalidades do que pela perseverança dos santos, que se empolguem mais com suas tendências em momentos de estresse e segurança do que com seu destino eterno, e que se interessem mais pelas sutilezas das tríades e das posturas do que pelos mistérios da Trindade e da Encarnação.

Então eu pergunto a você — e a mim mesmo — algo muito sério. Nós *realmente* queremos que o Eneagrama entre na igreja?

E essa é de fato uma questão muito séria, que merece ser levada a sério. Não podemos simplesmente presumir que os cristãos — quanto mais pastores e líderes da igreja — podem convidar o Eneagrama a entrar na igreja sem causar qualquer alvoroço ou sem suscitar perguntas difíceis. Pior ainda: poderia se provar algo espiritualmente prejudicial e até mesmo perigoso.

Então, se vamos nos beneficiar da sabedoria do Eneagrama, e se vamos compartilhá-la com outros em nossas igrejas, precisamos pensar no Eneagrama de maneira responsável, ou seja, de forma decididamente *cristã*.

Mas seria possível fazer isso com algo como o Eneagrama? Não nos esqueçamos de que as origens do Eneagrama são envoltas em mistério, e seu desenvolvimento contemporâneo se deve, em grande medida, a pensadores ocultistas como George I. Gurdjieff, Óscar Ichazo e Claudio Naranjo. Será que não se trata de algo tão espiritualmente manchado a ponto de não poder ser usado por cristãos sérios?

Ainda mais ao ponto: existe uma abordagem cristã ao Eneagrama? Em caso afirmativo, como seria essa abordagem? Como desenvolvê-la? Por onde começar?

O Eneagrama como tradição de sabedoria

Para desenvolver uma abordagem cristã ao Eneagrama, um bom lugar para começar é com a ideia de sabedoria. Aliás, é útil pensar no Eneagrama como uma tradição de sabedoria.

Assim como outros sistemas de crença, estruturas intelectuais, escolas de pensamento, tradições, livros, ideias ou pensadores individuais, o Eneagrama nos ajuda a entender melhor quem somos e o mundo em que vivemos. É isso que as tradições de sabedoria fazem: oferecem sabedoria acerca de quem somos e de como o mundo funciona.

O conceito de uma tradição de sabedoria pode ser novo para você, mas a realidade é conhecida. As tradições de sabedoria se manifestam em diferentes formatos e tamanhos. Alguns antigos, outros novos. Alguns seculares, outros sacros. As fábulas de Esopo consistem em uma antiga coleção de narrativas populares contendo lições morais poderosas, conhecidas também como tradição de sabedoria. O mesmo se pode dizer acerca dos dizeres de Confúcio e de Benjamin Franklin. São tradições de sabedoria — conjuntos de reflexões sábias.

Ou pense em *O livro das virtudes*, de William Bennett, na popular série *Canja de galinha para a alma* ou na obra do guru dos negócios Stephen Covey, *Os sete hábitos das pessoas altamente eficazes*. Cada um desses livros contém reflexões úteis, práticas e factíveis que nos ajudam a viver bem e com sabedoria neste mundo. São também tradições de sabedoria, conversas estendidas sobre como transitar sabiamente pela vida.

Você provavelmente sabe que a Bíblia contém suas próprias tradições de sabedoria. Quatro livros do Antigo Testamento se enquadram na sabedoria do mundo do antigo Oriente Próximo: Jó, Provérbios, Eclesiastes e Cântico dos Cânticos. Os estudiosos da Bíblia chamam esses livros de "Literatura de Sabedoria" por um bom motivo. Eles fazem parte das Escrituras para cultivar sabedoria nos leitores a fim de que saibam como viver sabiamente no mundo e com as pessoas.

Esses quatro livros de sabedoria são diferentes do restante do Antigo Testamento. Os eruditos dizem que são de um gênero ou tipo literário diferente. Os livros de sabedoria cumprem um propósito importante na Bíblia. Eles complementam as grandes narrativas da primeira meia dúzia de livros do Antigo Testamento e o poderoso material profético encontrado em livros como Isaías, Jeremias e Ezequiel. Sua principal contribuição é que lançam luz ética e centrada em Deus sobre as realidades cotidianas da vida — coisas como trabalho, relacionamentos e sofrimento.

Richard Foster, renomado autor de *Celebração da disciplina* e outros clássicos espirituais, tem um forma útil de falar sobre as tradições de sabedoria das Escrituras e sobre o tipo de material que encontramos em livros como Provérbios ou Eclesiastes. Ele afirma que tais livros contêm "o tesouro armazenado do discernimento humano".[1]

Trata-se de uma excelente definição de tradição de sabedoria, seja a que encontramos nas Escrituras ou nas páginas de um *best-seller* contemporâneo. É também uma ótima forma de pensar sobre o Eneagrama — o que ele é e por que as pessoas o amam.

O Eneagrama é um tesouro armazenado de discernimento humano acerca de como as pessoas funcionam.

O Eneagrama não é enigmático ou esotérico, como o misticismo sufista ou a sociedade teosófica. Tampouco é excessivamente técnico e complicado, como um diploma em Engenharia Elétrica ou uma explicação do teorema de Gödel. Em vez disso, a genialidade e o apelo do Eneagrama é que ele oferece sabedoria acessível, perspicaz e prática, assim como encontramos em Provérbios.

É sabedoria cotidiana para todos.

Talvez seja isso que explique o forte apelo do Eneagrama a pessoas de fé e também àquelas que não aderem a uma tradição religiosa específica. Atualmente, tanto cristãos quanto não cristãos estão se afogando em um mar de informações. Mas estão famintos por sabedoria.

O Eneagrama atravessa o entulho do excesso de informações e oferece uma forma surpreendentemente simples, mas, ao mesmo tempo, extremamente poderosa de entender as personalidades humanas — uma perspectiva sobre o que significa ser humano que mapeia nossa experiência de maneiras extraordinariamente reveladoras.

Assim, o primeiro passo para pensar de modo cristão sobre o Eneagrama é enxergá-lo como uma tradição de sabedoria — um tesouro armazenado de discernimento humano, uma conversa de longo prazo sobre quem as pessoas são e como funcionam no mundo, uma coleção de reflexões sábias sobre personalidades e as dinâmicas interpessoais.

No entanto, a fim de convidar o Eneagrama para dentro da igreja e nos beneficiar de sua perspicácia para o povo de Deus, é preciso dar um segundo passo. Precisamos transpor o Eneagrama para uma tonalidade cristã.

Transposição da sabedoria do Eneagrama para uma tonalidade cristã

Os pesquisadores reconhecem que há na Bíblia bastante sabedoria pagã ou "secular". Pense mais uma vez em Provérbios. Não existe nada de exclusivamente cristão ou especialmente teocêntrico nas pequenas declarações de sabedoria a seguir, extraídas aleatoriamente do livro:

Não planeje o mal contra seu próximo,
    pois quem mora por perto confia em você. (3.29)

Lançar sortes acaba com discussões
    e resolve contendas entre adversários poderosos. (18.18)

Conduza o cavalo com o chicote, o jumento com o freio
e o tolo com a vara nas costas. (26.3)

Se você está familiarizado com Provérbios, sabe que conseguiria multiplicar esses exemplos. Além disso, também conseguiria encontrar conselhos semelhantes a esses no almanaque de ditados de Benjamin Franklin ou em *Canja de galinha para a alma*. Mas isso não torna tais declarações menos verdadeiras. A despeito da fonte, oferecem sabedoria acerca de como o mundo funciona e como nós funcionamos no mundo.

Os eruditos também destacam que livros como Provérbios contêm muitos ditados encontrados em outros textos e tradições pagãos ou seculares do mundo antigo. Mas isso não mina seu valor para os cristãos. Continuam a ser percepções verdadeiras acerca do mundo de Deus.

Permita-me explicar da seguinte maneira. Se uma percepção é ou não genuinamente cristã é algo mais ligado a seu propósito ou finalidade do que a sua fonte. A procedência é menos importante que a direção.[2]

A pergunta não é de onde veio, mas, sim, para qual finalidade é usado. Essa sabedoria está a serviço de Cristo ou não? Essa percepção ajuda você a amar mais o próximo e a Deus ou não? Para o cristão, essa é a pergunta decisiva.

Meu orientador no doutorado foi um pesquisador de excelência e um ser humano muito amável chamado Graham Stanton. Como professor titular de teologia na Universidade de Cambridge, ocupava a cátedra acadêmica mais antiga do Reino Unido, estabelecida em 1502 por Lady Margaret Beaufort, mãe de Henrique VII.

O professor Stanton gostava de falar em transpor ideias. Lembro-me de ouvi-lo dizer: "Todd, essa é uma boa reflexão, mas precisa ser transposta para uma tonalidade diferente. Só então revelará o argumento de sua tese". A ideia de transposição vem da teoria musical, quando os músicos fazem a transição de uma peça musical ou parte de uma música de um tom para outro. Quando isso acontece, pode revelar novo potencial.

Com frequência, eu descobria que ele estava certo. Quando eu mudava uma ideia que tivera em uma parte da dissertação para outra, em geral abria o leque do argumento de um jeito bem útil. Um bom insight em um lugar pode se transformar em um argumento transformador em outro, à medida que a ideia assume novo significado e relevância em um novo ambiente ou contexto. O professor Stanton me ensinou isso.

É interessante notar que a Bíblia transpõe insights de sabedoria de um contexto para o outro. Provérbios transpõe a sabedoria pagã para uma tonalidade centrada em Deus. É isso que torna o livro bíblico e útil para os cristãos. Pense em sua passagem inicial. Ela contextualiza como devemos abordar a sabedoria de Provérbios. A estrutura de referência para a sabedoria ali encontrada é: "O temor do SENHOR é o princípio do conhecimento" (1.7).

Muitos cristãos não gostam de pensar no temor do Senhor. Acham que é uma ideia assustadora. Nas Escrituras, porém, o temor do Senhor não diz respeito a ter *medo* de Deus. Em vez disso, é uma forma de *reverenciá-lo*. O temor do Senhor diz respeito a nossa atitude em relação a Deus. Meu amigo Douglas Sean O'Donnell foi direto ao ponto ao dizer que o temor do Senhor se refere a "uma atitude de submissão, respeito, dependência e adoração".[3] É exatamente isso!

Se quisermos pensar no Eneagrama, precisamos transpor suas reflexões sábias para uma tonalidade distintamente cristã — o temor do Senhor. Precisamos estruturar tudo que ele ensina à luz de nossa reverência a Deus. Precisamos permitir que o senhorio de Cristo molde tudo aquilo que pensamos acerca da personalidade humana. Esse é o segredo.

Quando transpomos o Eneagrama para uma tonalidade cristã, quando estruturamos seus insights com base no temor do Senhor, tudo muda. Em vez de diluir a fé cristã ou nos distrair do compromisso sério com o ministério cristão e o crescimento espiritual, descobrimos que o Eneagrama, na verdade, acelera e aperfeiçoa nosso movimento em direções cristocêntricas.

O Eneagrama e o temor do Senhor

Como fica o Eneagrama quando transpomos seus insights para uma tonalidade cristã? O que acontece com os conceitos de personalidades e relacionamentos interpessoais do Eneagrama quando os estruturamos com base no temor do Senhor?

Identifiquei aqui alguns dos principais temas que você encontrará nos ensinos sobre o Eneagrama transpostos para uma tonalidade cristã, a fim de que eles tenham uma relação mais orgânica com os moldes bíblicos de pensamento e com os interesses teológicos cristãos. Obviamente, não abrangi todas as facetas dos ensinos do Eneagrama. Mas creio que você entenderá como funciona.

Ao transpor o Eneagrama para uma tonalidade cristã, seus insights válidos se tornam sabedoria genuína a serviço de Cristo. Mas, se deixarmos de fazer a transposição, correremos o risco de aderir a formas de pensar que são alheias às Escrituras e à nossa fé, e sem utilidade para nós como seguidores de Cristo.

34 • O ENEAGRAMA E A IGREJA

Insights válidos do Eneagrama...	... transpostos para uma tonalidade cristã
Participar da essência divina	Ser criados à imagem de Deus
Viver como sonâmbulos	Estar mortos em transgressões e pecados
Compadecer-se de si e dos outros	Ser humilde diante de Deus e do próximo
Descobrir o verdadeiro eu	Revestir-se do novo eu
Foco de atenção/principal paixão	Pecado com marca registrada/ídolo característico

1. Participar da essência divina → ser criados à imagem de Deus

Os mestres do Eneagrama gostam de expressar algo importante sobre a personalidade, a saber, que *você não é sua personalidade*. Insistem que não devemos confundir nossa personalidade com quem realmente somos.

De acordo com a teoria do Eneagrama, nossa personalidade é um mecanismo sofisticado de sobrevivência que desenvolvemos no início da vida a fim de que nossas necessidades básicas sejam atendidas. É claro que cada um de nós tem uma personalidade e ela exerce influência poderosa sobre nossa vida. Mas não é quem somos.

Em vez disso, os mestres do Eneagrama gostam de falar sobre nosso "verdadeiro eu", nossa "essência" ou até nossa "essência divina", para se referir a quem realmente somos, e distinguem isso de nossa personalidade. Don Riso e Russ Hudson, grandes autoridades no Eneagrama, falam sobre nossa "centelha divina" ou "essência divina" como o âmago ou a verdadeira natureza de quem somos.[4]

No entanto, o ensino cristão clássico começa com a narrativa das Escrituras em Gênesis 1, em que aprendemos que os seres humanos foram feitos à "imagem de Deus" (1.27). Trata-se de um conceito muito diferente do que é ter uma centelha da divindade dentro de nós. Não compartilhamos da essência ou natureza divina. Isso se assemelha mais ao panteísmo oriental do que ao teísmo cristão histórico. Em vez disso, somos criaturas completamente distintas, muito embora tenhamos sido criados à imagem de Deus e, portanto, sejamos dotados da capacidade de refletir sua natureza, seu caráter e sua vontade neste mundo.

2. Viver como sonâmbulos → estar mortos em transgressões e pecados

Os mestres do Eneagrama também gostam de falar sobre a condição humana como uma passagem sonâmbula pela vida. Trata-se de uma metáfora poderosa para descrever como a maioria de nós ignora quem realmente somos e como nos relacionamos com os outros. Não estamos despertos para quem somos de verdade. É como se estivéssemos em sono profundo. Claro, estamos passando pela vida, mas é um tipo de sonambulismo que carece de autoconsciência — o tipo de autoconsciência oferecido pelo Eneagrama.

Dormir e acordar são também, sem dúvida, ricas metáforas bíblicas. No entanto, em geral são usadas pelos autores da Bíblia para se referir a estar espiritual ou fisicamente morto, com necessidade de ressuscitar dessa condição. Paulo escreveu: "Desperte, você que dorme, levante-se dentre os mortos, e Cristo o iluminará" (Ef 5.14).

Isso nos sinaliza algo importante. *As Escrituras têm uma visão mais séria da condição humana do que costumamos encontrar nos ensinos do Eneagrama.* Não é como se estivéssemos simplesmente adormecidos, precisando despertar. Estamos espiritualmente *mortos* e necessitamos, nada mais nada menos, de uma ressurreição espiritual, ou aquilo que Jesus chamou de novo nascimento. Lembre-se das palavras de Jesus ao interessado Nicodemos: "Quem não nascer de novo, não verá o reino de Deus" (Jo 3.3). Ou pense na explicação de Paulo acerca de quem somos longe da graça de Deus: "Vocês estavam mortos por causa de sua desobediência e de seus muitos pecados, nos quais costumavam viver. [...] Mas Deus [...] nos deu vida juntamente com Cristo. É pela graça que vocês são salvos!" (Ef 2.1-2,4-5).

Os cristãos precisam levar a sério a condição caída da humanidade, que remontamos ao trágico episódio narrado em Gênesis 3. Por causa disso, reconhecemos que o aumento da autoconsciência e da autocompreensão é algo maravilhoso, mas incapaz de realizar, por si só, o renascimento espiritual que a Bíblia diz ser necessário para que encontremos nova vida em Cristo.

O cristianismo difere da antiga heresia conhecida como gnosticismo, segundo a qual a salvação se encontra no entendimento iluminado do mundo e do eu. Os cristãos resistiram a essa forma de pensar e argumentam, em vez disso, que a salvação acontece pela graça, mediante a fé, e é dom de Deus (Ef 2.8). Não é algo que podemos realizar por conta própria, por mais autoconscientes que nos tornemos.

A fim de transpor o Eneagrama para uma tonalidade cristã, precisamos nos lembrar dos efeitos danosos da queda sobre a condição humana. Precisamos de mais do que autoconsciência; precisamos do novo nascimento do qual Jesus fala. Precisamos ser espiritualmente ressuscitados, não apenas despertos de nossa ignorância ou falta de autoconsciência. Essa forma de pensar se aproxima mais do gnosticismo do que do cristianismo.

3. Compadecer-se de si e dos outros → ser humilde diante de Deus e do próximo

Um dos grandes benefícios do Eneagrama é que ele nos ajuda a não colocar as pessoas dentro de caixas, e sim a enxergá-las com mais compaixão. Quando percebemos que nosso jeito de ver o mundo é apenas um jeito — e que existem outras *oito* maneiras de enxergar a realidade —, é inevitável que mostremos mais simpatia e compreendamos melhor as formas como outras pessoas abordam a vida. É por isso que o Eneagrama pode ser tão útil para melhorar os relacionamentos.

Reconheço de prontidão que expressar compaixão é algo totalmente alinhado com a fé cristã. No entanto, muito embora seja útil e até mesmo bíblico falar sobre como vemos a nós mesmos e os outros com compaixão, esse tema pode ser compreendido e praticado com mais eficácia se o transpusermos para a tonalidade cristã da *humildade*. As Escrituras nos exortam da seguinte forma: "Com base na graça que recebi, dou a cada um de vocês a seguinte advertência: não se considerem melhores do que realmente são. Antes, sejam honestos em sua autoavaliação" (Rm 12.3). Trata-se de um chamado para praticar a humildade — em relação a nós mesmos e aos outros.

A mestre do Eneagrama Helen Palmer descreve como a humildade se revela, e o faz sem usar a linguagem da humildade. Ele fala sobre "ajustar-se ao jeito dos outros" (ideia à qual voltaremos em um capítulo posterior) e explica que "o mundo parece muito diferente a cada um dos nove [tipos] e, ao ajustar-se ao jeito dos outros, entendendo como se sentem,

38 • O ENEAGRAMA E A IGREJA

é possível mudar o próprio ponto de vista e chegar ao entendimento verdadeiro de quem as pessoas que fazem parte de sua vida realmente são, em lugar do que seus conceitos acerca delas poderiam levá-lo a crer".[5]

Transposta para uma tonalidade cristã, trata-se de uma excelente definição do que é humildade. É claro que, para o cristão, a humildade diante dos outros começa com humildade *diante de Deus*. Somente quando nos enxergamos como seres ao mesmo tempo belos e destroçados, criados e caídos, alienados e redimidos, é que chegamos a uma noção adequada e plena de humildade perante Deus e as outras pessoas.

4. Descobrir o verdadeiro eu → revestir-se do novo eu

Marilyn Vancil, mestre do Eneagrama, escreveu um livro excelente chamado *Self to Lose—Self to Find: A Biblical Approach to the 9 Enneagram Types* [O eu a perder e o eu a ganhar: Uma abordagem bíblica aos nove tipos do Eneagrama]. Ela fala sobre os "dois eus" — o eu autêntico e o eu adaptado. Existem ótimos precedentes bíblicos para pensar em dois eus, e pode ser de grande ajuda as pessoas começarem a distinguir entre quem são (o eu verdadeiro) e quem desejam ser (o eu falso ou adaptado). Essa distinção tem sido muito útil para mim na esfera pessoal e também para aconselhar os outros.

No entanto, precisamos ter consciência dos limites desse conceito e de seu potencial para desencaminhar o cristão. A fé cristã nos chama para algo mais — algo mais radical e mais profundo — do que descobrir nosso verdadeiro eu. O foco do ensino bíblico acerca do eu é mais dinâmico e moral.

As Escrituras não dão ênfase a descobrir o eu verdadeiro, mas, sim, a assumir um novo eu, ou seja, *aderir a um novo estilo de vida*. Isso envolve a transformação do caráter. Significa renunciar a certas práticas e adotar ou até mesmo personificar outras.

A Bíblia convida os cristãos: "Revistam-se da nova natureza e sejam renovados à medida que aprendem a conhecer seu Criador e se tornam semelhantes a ele" (Cl 3.10). Esse novo eu é moralmente renovado, não simplesmente um eu mais bem informado. E essa renovação moral ocorre não por meio da autodescoberta, mas pelo crescimento no conhecimento de Deus e de sua Palavra.

É claro que os cristãos podem encontrar auxílio tremendo nesse processo de renovação moral ao trabalhar com a distinção do Eneagrama entre o eu verdadeiro e o falso eu. Mas a visão bíblica do eu e de sua transformação é mais ampla e expansiva.

5. Foco de atenção/principal paixão → pecado com marca registrada/ídolo característico

Recentemente, eu estava conversando sobre o Eneagrama com um amigo na hora do almoço. Ele mencionou o quanto apreciava a capacidade do Eneagrama de ajudá-lo a enxergar os "contornos do próprio pecado".

Gostei muito dessa definição.

Os mestres do Eneagrama costumam falar sobre nosso "foco de atenção", ou seja, aquilo em que tendemos a nos fixar ou aquilo que somos propensos a ver ou deixar de ver. Trata-se de uma das características fundamentais da personalidade — nossa atenção e para onde ela se direciona. Alguns mestres descrevem esse traço da personalidade com a linguagem das "paixões" ou "fixações", o que pode ser bem útil.

Existe uma associação válida desse aspecto do ensino do Eneagrama com os "sete pecados capitais" da tradição cristã, uma relação que pode se transformar em uma forma ainda mais promissora de os cristãos refletirem sobre esses insights do Eneagrama.

Isso remete àquilo que o psicólogo e autor cristão Michael Mangis chama de "pecados com marca registrada".[6] O conhecido pastor e escritor Timothy Keller nos ajudou a entender o papel dos ídolos dentro de nosso coração e os chama de deuses falsos.[7] O que seria um ídolo, senão uma obsessão profunda por algum bem terreno?

Quando transposto para uma tonalidade cristã, o Eneagrama se torna um guia muito astuto e confiável para os ídolos de nosso coração, para os modos como nos fixamos em determinadas coisas em virtude de nossa constituição, temperamento ou personalidade únicos.

A transposição dos insights do Eneagrama para uma tonalidade cristã, conforme procuro fazer aqui, não é o mesmo que um jogo de semântica ou de reajuste das palavras — "Você chama de 'biscoito' e eu chamo de 'bolacha'". É claro que as palavras importam; mas elas importam por sua maneira de moldar nossa visão da realidade.

É nisso que reside o perigo do Eneagrama. Quando adotamos um vocabulário alheio às Escrituras e à linguagem cristã histórica, corremos o risco de aderir a conceitos e categorias igualmente alheios às Escrituras e à fé cristã. Aquilo que começa como uma diferença sutil de terminologia se torna, se não tomarmos cuidado, um jeito profundamente estranho de pensar.

E é claro que dá trabalho transpor o Eneagrama para uma tonalidade cristã.

Então por que ter esse incômodo?

Porque o Eneagrama nos oferece um rico recurso para a

compreensão da personalidade humana e dos relacionamentos interpessoais. O Eneagrama é o *shake* proteico dos inventários de personalidades. Há tanta coisa concentrada naqueles nove números que o Eneagrama pode se revelar uma mina de ouro para pastores e suas igrejas.

Em outras palavras, o esforço de transpor o Eneagrama vale muito a pena.

Toda verdade é verdade de Deus, até mesmo o Eneagrama

Já faz muitos anos desde que eu cursei o Wheaton College. Mas minha convicção acerca da unidade da verdade, e de que toda verdade é verdade de Deus, só se fortalece com o passar do tempo, e hoje é parte fundamental de minha cosmovisão como cristão.

Ao longo dos anos, a convicção de que toda verdade é verdade de Deus tem me ajudado a pensar de maneira cristã acerca de muitas coisas, da evolução à psicologia, da economia à arte. Mas também me ajudou a pensar de forma cristã sobre o Eneagrama.

Sejamos honestos. O Eneagrama não é uma ferramenta cristã.

Mas o Eneagrama pode ser fonte de reflexões profundas acerca do mundo em que vivemos e de como vivemos neste mundo.

Isso não significa que tudo que o Eneagrama ensina é verdade, assim como não quer dizer que tudo que Aristóteles, Agostinho ou qualquer outro tem a dizer é verdadeiro. Ainda precisaremos pesar as alegações do Eneagrama para conferir se elas harmonizam com nossa fé cristã.

Contudo, na raiz do Eneagrama há uma tradição de sabedoria. E, por isso, pode ajudar você e eu a compreender coisas verdadeiras a nosso respeito e a respeito dos outros. Sempre que esse for o caso, o Eneagrama nos ajudará a compreender a verdade *de Deus.*

Porque toda verdade é verdade de Deus, incluindo as verdades que descobrimos no Eneagrama.

Por isso, pastores e líderes de igreja, permaneçamos abertos à sabedoria do Eneagrama. Exploremos o que ela tem a oferecer a nós e nossas congregações. Vejamos se pode nos tornar mais sábios a respeito de como as pessoas funcionam. E comecemos, já a partir da próxima página, a verificar como o Eneagrama explica nossos modos de transitar pela vida.

2

Três maneiras de transitar pela vida

Pensar, sentir e fazer

Não sei qual é sua opinião acerca de pequenos grupos. Talvez você participe de um. Às vezes, os pequenos grupos ganham má reputação, e às vezes com razão, quando são entediantes, chatos, superficiais ou sem vida. Podem parecer mais uma consulta ao dentista do que um processo significativo de discipulado.

O pequeno grupo do meu cunhado Andy é uma exceção a todas essas armadilhas enfadonhas. Ele ama o pequeno grupo de que faz parte e tem bons motivos para isso. Recentemente, Andy teve uma experiência que poderia despertar uma pessoa catatônica e engajar até o maior dos cínicos.

Os membros de seu pequeno grupo decidiram fazer um exercício. Dedicaram uma reunião inteira de uma hora e meia para dar feedback a um dos membros do grupo. *Como vivenciamos o relacionamento com essa pessoa? Como ela é?* Esse foi o tema debatido por noventa minutos ininterruptos.

Talvez não lhe pareça interessante. Mas agora vem o diferencial.

A pessoa em questão não só precisava ouvir tudo que estava sendo dito, como também deveria se sentar no meio da sala e não responder a absolutamente nada. E os membros do grupo não tinham permissão de falar com a pessoa — apenas *sobre* ela, como se ela não estivesse ali.

Agora o quadro ficou bem diferente, não é mesmo?

Para alguns, um exercício assim parece torturante. Mas Andy descobriu algo. Ele recebeu um feedback extraordinariamente honesto e revelador sobre como alguns de seus amigos mais íntimos vivenciam o relacionamento com ele. Em outras palavras, Andy recebeu um presente raro: a oportunidade de *se enxergar* pelos olhos dos outros, uma experiência valiosa para ele, como seria para qualquer um de nós.

Brian, um dos membros do pequeno grupo e um dos amigos mais próximos de Andy, disse algo que soou muito verdadeiro para Andy:

— Estou sentado aqui há uma hora tentando desvendar algo. E finalmente tive um estalo. Há algo no Andy que eu nunca havia conseguido nomear antes.

— O que é? — um dos outros participantes perguntou, verbalizando a curiosidade de todo o grupo.

— Bem, o Andy é esse cara extremamente talentoso. É um cirurgião bem-sucedido. Já concluiu o triatlo Ironman. Misericórdia, Andy é *o* cara! Mas tem um uma coisa nele... — continuou Brian, para chegar a sua frase de efeito final: — *Andy guia a vida pelos sentimentos.*

Conheço meu cunhado há quase trinta anos e posso confirmar o que Brian disse. De fato, Andy é muito talentoso, bem-sucedido e coleciona realizações. No entanto, não transita pela vida por meio do poder. Sim, ele faz muitas coisas, e as faz bem. Mas tudo que ele faz é *com o coração à frente.* Como Brian afirmou muito bem, ele guia a vida pelos sentimentos.

Essa história me levou a indagar o que os membros de meu pequeno grupo diriam a *meu* respeito — e talvez você tenha pensado o mesmo. Tenho convicção de que não diriam o mesmo que disseram sobre Andy — "Todd guia a vida pelos sentimentos" — pelo simples motivo de que esse não sou eu.

Em vez disso, suspeito que diriam algo como: "Todd age primeiro, pensa depois e então, só muito tempo mais tarde, talvez entre em contato com seus sentimentos".

Que verdade!

Eu não guio a vida pelos sentimentos — eu a guio pelas *ações*. Os sentimentos ficam em um cantinho bem escondido. Meu *modus operandi* preferido é a ação, e busco os pensamentos para embasar aquilo que faço. Os sentimentos ficam lá atrás e, às vezes, acabam até mesmo se perdendo no meio do caminho.

Esse sou eu. Mas, claro, nem todo mundo é assim. Meu amigo Casey é pastor, assim como eu, mas transita pelo mundo de maneira diferente. Ele não guia a vida pelos sentimentos, nem pelas ações. Em vez disso, Casey guia sua vida pelos *pensamentos*.

Ele é observador, cuidadoso, demora para falar e, preciso dizer, demora ainda mais para agir. Mas quando age, pode ter certeza de que refletiu sobre suas decisões de forma muito mais abrangente, analisando a situação de todos os ângulos concebíveis. Casey transita pela vida pensando.

Andy, Casey e eu: cada um de nós aborda a vida de uma maneira bem diferente. Não existe uma forma certa e outra errada. Somos apenas diferentes em nossa forma de transitar pelo mundo; às vezes, diferentes até demais.

E você?

O que seu pequeno grupo diria a seu respeito? Como você transita por este mundo? Sua primeira reação é pensar? Ou sentir? Ou, quem sabe, agir?

Assim como Andy, muitas pessoas guiam a vida pelos sentimentos. Entram em um ambiente e medem a temperatura emocional do lugar quase que de imediato. Quem está chateado? Quem está ansioso? Quem se identifica com quem? Quem está feliz ali dentro? Quem não está? Esses tipos leem as emoções, tanto as próprias quanto as dos outros, como se estivessem lendo poemas rimados para pré-escolares. Moleza!

Outros, como eu, são o oposto. Temos dificuldade de sentir até mesmo as próprias emoções, quanto mais as dos outros! Em vez disso, entramos em um ambiente e pensamos instintivamente: "O que devo fazer?". Somos voltados para as ações e transitamos pela vida exercendo nossa vontade sobre o mundo. É somente com muito esforço que paramos o suficiente para sentir alguma coisa. Logo, não tendemos a ser o tipo que lê ficção ou escreve poemas, mas somos ótimos em pegar uma lista de tarefas e cumpri-las todas.

Outros ainda, como Casey, são mais racionais. Guiam a vida pelos pensamentos. Vivem dentro da própria cabeça, sempre planejando, preparando ou vislumbrando alguma aventura futura, um resultado possível ou cenário provável. Quando entram em um ambiente, começam imediatamente a analisar. Avaliam a situação, curiosos acerca de quem está ali e por quê, perguntando-se ou mesmo se preocupando acerca dos protocolos ou formatos, e imaginando o que acontecerá depois que aquela reunião terminar.

É claro que, na maior parte do tempo, não temos consciência de que transitamos pelo mundo com uma dessas três abordagens — pensar, sentir ou fazer. Torna-se automático, como dirigir ou escovar os dentes. Ao longo dos anos, o poder do hábito empurra para o fundo de nossa atenção consciente essas diferentes formas de estar no mundo. Entramos em piloto automático, tendo aprendido a guiar a vida por meio dos pensamentos, sentimentos ou ações, e deixamos dormente um dos outros dois aspectos. Isso, por sua vez, faz crescer as tensões que todos sentimos.

O Eneagrama dá sentido a essa experiência humana. Segundo o Eneagrama, existem três dimensões para nossa personalidade: pensar, sentir e fazer. Essas três dimensões são conhecidas, no vocabulário do Eneagrama, como os três "Centros de Inteligência". Usamos os três para dar sentido ao mundo e trilhar nosso caminho nele.

O mistério da personalidade está em como isso acontece. Uma combinação de genética, família de origem e experiências formadoras da infância, ninguém sabe ao certo como nossa personalidade se forma. Só sabemos que, aos seis ou sete anos de idade, de fato *temos* uma personalidade e ela é, em grande parte, fixa pelo resto da vida.

No entanto, há mais elementos envolvidos na história da personalidade. No início da vida, antes do primeiro ano do ensino fundamental, cada um de nós aprende a *preferir* uma dimensão da personalidade em detrimento das outras duas. Aprendemos a começar com o pensamento, o sentimento ou a ação. Descobrimos o que funciona para nós e o que nos ajuda a suprir nossas necessidades. Buscamos apoio em uma das outras duas dimensões e deixamos que a terceira — seja ela qual for em cada caso específico — permaneça ociosa ou caia em desuso. Em uma palavra, nós a negligenciamos.

Essa é, basicamente, a teoria das personalidades do Eneagrama. Os nove tipos de personalidades no âmago do Eneagrama resultam dessas três dimensões da personalidade, que se unem em nove combinações diferentes. Alguns se guiam pelos pensamentos, outros pelos sentimentos e outros ainda pelas ações. Alguns apoiam com os pensamentos, outros com os sentimentos e outros ainda com as ações. E alguns deixam os pensamentos caírem em desuso, outros fazem isso com os sentimentos e outros ainda com as ações.

Esses três aspectos da experiência — pensar, sentir e fazer — compõem nove combinações diferentes de tipos de personalidades. Essa é a lógica profunda do Eneagrama.

Mas o Eneagrama também afirma que cada personalidade se forma por meio do *uso excessivo* de um dos centros (conhecido como Centro Preferido), o *mau uso* de um segundo (conhecido como Centro de Apoio) e o *uso insuficiente* de um terceiro (conhecido como Centro Reprimido).

Analisemos cada um desses.

Seu Centro Preferido (ou Tríade)

O Eneagrama organiza os nove tipos de personalidades em três grupos de três, de acordo com a dimensão da personalidade que desempenha o papel principal em sua vida. Esses três conjuntos de três são conhecidos como *tríades*. Sua tríade identifica qual é seu Centro Preferido.

Cada um de nós absorve informações do mundo ao redor por meio de pensamentos, sentimentos ou ações. Baseamo-nos em um dos três Centros de Inteligência para nos ajudar a trilhar nosso caminho no mundo. É assim que processamos as informações que chegam até nós.

Gosto de pensar nisso como nossa forma de ler o mundo. O que você nota depressa? O que chama sua atenção imediatamente? Para onde sua atenção tende a ser atraída? O que você enxerga que os outros talvez não vejam? É a ação ou os atores de determinada situação? Ou a dinâmica emocional entre as pessoas envolvidas? Ou são as ideias, perspectivas e possibilidades em jogo?

Se você lê o mundo com os sentimentos, faz parte da Tríade do Coração. Se lê o mundo com os pensamentos, pertence à Tríade da Cabeça. E se lê o mundo com as ações, você faz parte da Tríade do Corpo. Uma delas será sua estratégia preferida para viver no mundo e encontrar sentido nele.

Cada tríade tem características únicas. Vamos analisar mais de perto como é cada uma delas.

Aqueles que pertencem à *Tríade do Coração* sabem o que sabem a respeito do mundo e dos relacionamentos por meio do coração, de sua compreensão emocional intuitiva da situação. As pessoas nessa tríade tomam a iniciativa com o coração, ou seja, leem o mundo com as emoções ou os sentimentos. São indivíduos com alta inteligência emocional. Costumam ter habilidade para lidar com pessoas e pouca dificuldade em demonstrar empatia, compaixão ou entendimento.

Todos os gênios sociais deste mundo fazem parte da Tríade do Coração. São aquelas pessoas que gravitam ao redor de outras e veem os relacionamentos como algo fácil e natural. Você não encontrará muitas pessoas com falta de traquejo social dentro da Tríade do Coração. Na verdade, por estarem em tamanha sintonia com os relacionamentos, tendem a depender excessivamente da opinião dos outros a seu respeito, sobretudo quando não se encontram em um espaço saudável. As pessoas que pertencem à Tríade do Coração costumam ser boas ouvintes e excelentes companhias para o diálogo. Mas podem acabar reféns da aprovação alheia, reagindo emocionalmente em vez de interagir ponderadamente com as pessoas em sua vida.

Em poucas palavras, quem pertence à Tríade do Coração anseia pela validação alheia, e isso pode torná-lo carente. E, embora se apresente como um indivíduo centrado nos outros, tudo pode ironicamente girar em torno dele — a própria validação, afirmação ou realização. Esse é o lado sombrio da Tríade do Coração. Lá no fundo, essas pessoas lutam contra a vergonha e a falta de autoestima. É por isso que cultivam uma imagem de si mesmas que conquista a aprovação e o afeto dos outros. Quando isso se dá com equilíbrio, são pessoas exemplares que amam amar e ser amadas. Contudo, quando há exagero, pode resultar em dependência egocêntrica e sufocante.

Se quem pertence à Tríade do Coração é interpessoal e voltado para os relacionamentos, quem pertence à *Tríade da Cabeça* é impessoal e voltado para ideias, pensamentos e reflexões. Isso não quer dizer, é claro, que as pessoas na Tríade da Cabeça são socialmente inaptas, frias ou não sabem lidar com pessoas. Significa, porém, que estão sempre em busca de uma perspectiva objetiva sobre a vida.

Bill Nye, conhecido como O Cara da Ciência, faz parte da Tríade da Cabeça. Os membros da Tríade da Cabeça costumam ser inteligentes, perspicazes e curiosos. A maioria dos sábios do mundo pertence a essa tríade. São indivíduos com grande poder de percepção e, o que é interessante, tendem a investir emocionalmente em sua forma de conceber o mundo. Quando as pessoas da Tríade da Cabeça se deslocam para o excesso de sua personalidade, podem se mostrar excessivamente teimosas e tão inflexíveis quanto um muro de concreto. Às vezes, isso se expressa como intolerância à opinião dos outros.

Quem faz parte da Tríade da Cabeça tem facilidade de planejamento e análise, é visionário e erudito. Gosta de estudar as coisas, identificar padrões e enxergar previsibilidade no mundo. O lado sombrio disso é, claramente, o medo — medo de não saber, medo de não ter opções ou oportunidades, medo de não contar com ambientes seguros para se refugiar. As pessoas da Tríade da Cabeça se encontram em uma busca vitalícia por segurança, o que produz nelas lealdade ferrenha ou crises recorrentes de preocupação.

Quem pertence à *Tríade do Corpo* não toma a iniciativa com sentimentos ou pensamentos, mas com ações. São indivíduos profundamente conectados com o corpo e leem o mundo de forma muito instintiva e gutural. Têm a sensação intuitiva de que algo não está certo, mas talvez não consigam explicar por quê. Só sabem lá no íntimo, por assim dizer. Sua estratégia preferida de transitar pelo mundo é tomar a iniciativa com as ações. Tendem a "pensar rápido", conforme os psicólogos sociais definem — isto é, com o corpo.[1]

As pessoas da Tríade do Corpo valorizam naturalmente confortos e prazeres físicos, seja uma refeição em cinco etapas com vinho fino, um quarto confortável que é um refúgio de paz e tranquilidade, ou uma cozinha impecável. Por estarem em sintonia com o próprio corpo, que é nossa fonte de poder e presença no mundo, muitas vezes são percebidos como pessoas de personalidade forte e, em certas ocasiões, até exigentes. Vibram com muita energia instintiva que, às vezes, pode parecer avassaladora para eles e para os outros também. Via de regra, não gostam de ser vulneráveis e preferem estar no controle em qualquer situação na qual se encontram. À espreita, debaixo da superfície, reside a raiva, e quando ela é direcionada contra outras pessoas torna-se o que chamamos de ira. Isso explica sua vitalidade e intensidade.

Eu sou tipo Oito e pertenço à Tríade da Ação, ou do Corpo. Em cada situação, eu me pergunto: "O que precisa ser feito?" ou "O que vou fazer?". Não tento fazer isso de maneira consciente; apenas acontece. É assim que sou no mundo. Entro no lugar e tenho a sensação instintiva do que quero fazer. Falo com um amigo ao telefone e processo a conversa em termos práticos. Saio para caminhar com a esposa e minha tendência é conversar sobre o que vamos fazer ou que estratégias devemos usar para fazer algo acontecer. É minha configuração padrão de funcionamento no mundo.

Devo mencionar o lado negativo disso. Uma vez que nossas personalidades se moldam em torno de nossa estratégia preferida de abordagem ao mundo — pensar, sentir ou fazer — tendemos a usar em excesso essa dimensão de nossa personalidade.

Isso acaba nos tirando do equilíbrio. Em vez de uma vida mais integrada, em que pensar, sentir e agir se apoiam mutuamente e permanecem intimamente interconectados, a maioria de nós tende a usar um em excesso, fazer mau uso de outro e subutilizar o terceiro. O Eneagrama tem uma explicação para nosso uso — ou mau uso e uso insuficiente — das outras duas dimensões da personalidade.

Seu Centro de Apoio

Ao mesmo tempo que cada um de nós toma a iniciativa com um dos Centros de Inteligência, também buscamos apoio em outro. Lemos o mundo com pensamentos, sentimentos ou ações, mas processamos o mundo extraindo os recursos de outro centro.

Sabemos intuitivamente que a vida é mais do que pensar, sentir ou fazer. Aprendemos que ela envolve as três dimensões, a despeito de todos lutarmos com a tensão de alcançar o equilíbrio entre pensar, sentir e fazer. Também aprendemos o quanto é importante lançar mão dos recursos de outro centro a fim de apoiar a parte preferida de nossa personalidade.

Usando o vocabulário do Eneagrama, isso é conhecido como seu Centro de Apoio, e exerce duas funções vitais. Em primeiro lugar, seu Centro de Apoio ampara ou fortalece seu Centro Preferido. Buscamos o Centro de Apoio para capacitar e aperfeiçoar nossa maneira preferida de estar no mundo. Quando nos aproximamos de uma segunda dimensão da personalidade por meio do Centro de Apoio, descobrimos que essa mudança traz mais equilíbrio a nossa personalidade ao incorporar mais uma dimensão de quem somos.

Em vez de ser unidimensionais, descobrimos que os recursos do Centro de Apoio acrescentam complexidade e camadas a nossa personalidade. Digamos que você é membro da Tríade do Corpo, por ser tipo Oito, Nove ou Um. Sua estratégia de preferência no mundo é a ação. Mas em vez de ser simplesmente uma pessoa de ação, o Oito se apoia nos recursos dos pensamentos e o Um, nos recursos dos sentimentos para amparar e equilibrar sua personalidade. Ou pense naqueles que pertencem à Tríade do Coração: os tipos Dois, Três e Quatro. Eles tomam as iniciativas com os sentimentos e são emocionalmente muito intuitivos. Mas, quando lança mão dos recursos de seu Centro de Apoio, o Dois se desloca para a ação e o Quatro, para a reflexão, em vez de permanecer inutilmente submersos nos sentimentos.

Sem o Centro de Apoio, transitaríamos pela vida extraindo os recursos de apenas uma dimensão de nossa personalidade. Embora isso possa ser divertido e, às vezes, até funcional, no fim das contas acabaria se mostrando muito problemático, tanto para nós quanto para os outros. Todos conhecemos pessoas unidimensionais e, embora possa ser interessante por um tempo, se revela problemático mais à frente.

Como saber qual é seu Centro de Apoio? Observe o diagrama do Eneagrama abaixo. Seu Centro de Apoio é o centro ao lado do seu número.

Se você é Oito, como eu, está ao lado da Tríade da Cabeça, o mundo dos tipos Cinco, Seis e Sete. Eu me apoio e equilibro minhas ações com os recursos do pensamento da Tríade da Cabeça. Mas se você é Dois, como minha mãe, está ao lado da Tríade do Corpo, o mundo dos tipos Oito, Nove e Um. Ela se apoia e equilibra seus sentimentos com a energia das ações que extrai da Tríade do Corpo. Ou, se você é Cinco, como meu cunhado, está ao lado da Tríade do Coração, o mundo dos tipos Dois, Três e Quatro. Ele se apoia nos recursos dos sentimentos para amparar e equilibrar seus pensamentos.

Sei que isso pode parecer um pouco complicado e confuso. Concordo. Mas continue ligado. Tudo isso lhe pagará grandes dividendos com o tempo. Espero que a tabela abaixo ajude a esclarecer um pouco mais.

Número do Eneagrama	Centro de Apoio
Dois	Ações
Três	Pensamentos/ações
Quatro	Pensamentos
Cinco	Sentimentos
Seis	Sentimentos/ações
Sete	Ações
Oito	Pensamentos
Nove	Pensamentos/sentimentos
Um	Sentimentos

Você deve ter notado, na tabela, que três tipos têm duas dimensões listadas como Centros de Apoio. Não foi um erro de tipografia, nem um deslize da edição. É assim que funciona para os tipos Três, Seis e Nove. Eles são conhecidos como os Pontos de Equilíbrio do Eneagrama. Observe que eles se encontram no meio da respectiva tríade (logo, equilibram a tríade) e ficam nos cantos do triângulo no coração do diagrama do Eneagrama.

Não quero exagerar a relevância disso, mas é preciso reconhecer que há algo de singular no modo como essas três personalidades funcionam.

Ao contrário dos outros seis tipos, o Três, o Seis e o Nove *preferem o mesmo Centro que reprimem.*

Por exemplo, o Três, na Tríade do Coração, toma a iniciativa com os sentimentos, mas também, conforme veremos na próxima seção, reprime os sentimentos — ou seja, busca apoio nos pensamentos ou nas ações.

Ou pense no Nove. O tipo Nove pertence à Tríade do Corpo e toma a iniciativa com ações. Ele busca apoio nos sentimentos ou nos pensamentos. No entanto, ao mesmo tempo reprime as ações.

O mesmo se aplica ao Seis. Esse tipo faz parte da Tríade da Cabeça, toma a iniciativa com os pensamentos, busca apoio nos sentimentos ou nas ações e, ao mesmo tempo, reprime os pensamentos.

É isso que torna essas personalidades tão fascinantes.

O desfecho para o Três, o Seis e o Nove é que eles vivem com certa contradição na personalidade. Ou, como eu gosto de dizer, o que você compra não é o que você recebe.

Veja o Três, por exemplo. Ele toma a iniciativa com os sentimentos e tende a ter alta inteligência emocional, a se dar bem com as pessoas e ser excelente em conectar ou interpretar um ambiente repleto de gente. Ironicamente, porém, reprime os próprios sentimentos e prefere processar o mundo não com os sentimentos, mas com os pensamentos ou as ações. É por isso que o Três costuma dar a impressão de alguém em forte sintonia emocional, porém não gosta de se debruçar sobre os sentimentos e prefere seguir depressa para a solução de problemas.

O Seis é uma contradição semelhante. Toma a iniciativa com os pensamentos e, se você conhece alguém desse tipo, sabe quanto tempo essa pessoa passa ponderando as coisas dentro da mente. No entanto, transita pelo mundo com os sentimentos, as ações ou ambos. Isso quer dizer que, ironicamente, os pensamentos são deixados de lado ou ficam para trás. Sim, o Seis passa bastante tempo pensando. Mas a verdade é que, com frequência, não se trata de pensamentos *produtivos*, mas, sim, de ruminar sobre os piores cenários possíveis ou coisas que talvez venham a acontecer. O Centro dos Pensamentos é reprimido no Seis.

O mesmo se aplica ao Nove. Ele faz parte da Tríade da Cabeça e toma a iniciativa com as ações. Sua reação inicial ao mundo é: o que devo fazer? No entanto, por estar igualmente situado entre as tríades dos pensamentos e sentimentos, volta-se para um desses dois lados a fim de processar o mundo. No entanto, isso faz o Centro das Ações ficar defasado ou em desuso. Ele reprime as ações, assim como os tipos Quatro e Cinco, muito embora faça parte da Tríade do Corpo, juntamente com os tipos Oito e Um. Contraditório, não?

Seu Centro Reprimido (ou Postura)

E quanto ao terceiro Centro de Inteligência? O que nossas personalidades diferentes fazem com ele? É nesse ponto que o

Eneagrama se torna não só perspicaz, mas também extremamente útil para facilitar o trabalho pessoal e o crescimento espiritual, pois sugere que, além de ter um Centro Preferido e um Centro de Apoio, nós temos também um Centro Reprimido que tendemos a subutilizar. Aliás, podemos ser excluídos desse aspecto de quem somos, com pouco ou nenhum acesso a ele.

Assim como aprendemos no início da vida a preferir uma dimensão de nossa personalidade em relação às outras duas, também aprendemos a reprimir uma dimensão de nossa personalidade em relação às outras duas. De algum modo, no processo confuso e misterioso de formação de nossa personalidade, aprendemos que não valia a pena lançar mão de nosso Centro Reprimido. Entendemos a mensagem de que era melhor deixá-lo de lado.

Talvez tenhamos crescido em um lar rude ou envolto por uma masculinidade tóxica que desvalorizava ou desprezava os sentimentos. Dentro desse ambiente, podemos ter aprendido a reprimir nosso centro das emoções tanto quanto possível. Lágrimas são para "maricas" — essa foi a mensagem que recebemos. Com frequência, essa é a história do Oito.

Ou quem sabe crescemos em um ambiente caótico, no qual nada era certo e tudo se mostrava inseguro. Nesse espaço, podemos ter aprendido, como o Seis, a reprimir nosso Centro dos Pensamentos a fim de administrar a ansiedade do futuro desconhecido.

Ou podemos ter sido criados por uma mãe ou um pai dominador, que nos deixava sem ar toda vez que entrava no ambiente. Em um lugar assim, podemos ter aprendido que nossa presença não era importante e que era melhor ficar na nossa, sem chamar atenção. E assim aprendemos a reprimir nosso Centro das Ações, como o Nove.

A despeito da causa, as consequências são as mesmas. Cada um de nós aprendeu a subutilizar uma dimensão de nossa personalidade. Crescemos acostumados a subutilizar ou os pensamentos, ou os sentimentos ou as ações. Em consequência, esse é o aspecto da experiência humana com o qual temos a maior dificuldade de nos engajar, entender e lidar.

Observe a explicação dos autores e mestres do Eneagrama Kathleen Hurley e Theodore Dobson: "O Centro Reprimido de Inteligência é aquele do qual menos gostamos, o que menos entendemos e o que evitamos com maior destreza e agilidade".[2]

O mais irônico é que, muito embora nós reprimamos uma dimensão de nossa personalidade, essa dimensão acaba por moldar nossa personalidade de formas significativas. Ainda que possa parecer um pouco contraintuitivo a princípio, precisamos lembrar que nossas personalidades são, em sua essência, desequilibradas. Existem três dimensões para a personalidade, mas tendemos a nos apoiar em somente duas dessas três e, em muitos casos, usar tanto uma delas que caminhamos pela vida como se estivéssemos mancando. O Centro Reprimido marca nossa vida, molda nossa forma de abordar as situações e informa como transitamos pelo mundo.

Na teoria do Eneagrama, os Centros Reprimidos, assim como os Centros Preferidos, são organizados em grupos de três. Os Centros Preferidos são conhecidos como Tríades, e os Centros Reprimidos são denominados Posturas. O nome é intuitivo porque capta sua "postura" no mundo ou seu posicionamento em relação à vida. Alguns mestres do Eneagrama se referem a isso como seu "estilo social".[3]

Prefiro pensar em sua Postura como sua maneira de *reagir* ao mundo. Enquanto sua Tríade é como você *lê* o mundo, sua postura é como você *reage* ao mundo. Note que eu não disse que a Postura é como você responde ao mundo. Responder é algo intencional. Uma vez que a Postura tem a ver com seu Centro Reprimido, ela tende a ser mais automática e irrefletida, menos deliberada e intencional. Reagimos à luz de nosso Centro Reprimido muito mais do que respondemos. (É claro que o objetivo do trabalho com o Eneagrama é encontrar equilíbrio a fim de *aumentar* a visibilidade do Centro Reprimido, de tal modo que você *reaja* cada vez menos e *responda* cada vez mais.)

Existem três Posturas, organizadas em torno do aspecto da personalidade que é reprimido. Aqueles que reprimem os sentimentos são compreensivelmente categorizados como de Postura Assertiva. Não é de espantar que ela inclua os tipos Três, Sete e Oito. Aqueles que reprimem os pensamentos são conhecidos como pessoas de Postura Dependente, que inclui os tipos Seis, Um e Dois. E aqueles que reprimem as ações são conhecidos como de Postura Retraída, na qual se encaixam os tipos Nove, Quatro e Cinco. A tabela a seguir tenta simplificar um pouco essa explicação, além de oferecer breves descrições de cada uma das posturas.

Número do Eneagrama	Centro reprimido	Postura
Dois	Pensamentos	Dependente
Três	Sentimentos	Assertiva
Quatro	Ações	Retraída
Cinco	Ações	Retraída
Seis	Pensamentos	Dependente
Sete	Sentimentos	Assertiva
Oito	Sentimentos	Assertiva
Nove	Ações	Retraída
Um	Pensamentos	Dependente

A Postura Dependente. Os tipos Seis, Um e Dois compõem a Postura Dependente. Uma vez que reprimem os pensamentos, olham para fora de si e buscam os outros para dar sentido a seu mundo. Assim, são *dependentes* dos outros para delimitar a realidade e definir limites. Seu ponto de referência são os outros. Isso quer dizer que buscam nas pessoas a sua volta pistas de como conduzir a vida. Também têm dificuldade de confiar nos próprios processos de pensamento.

Isso não significa de maneira alguma que as pessoas dos tipos Seis, Um e Dois não são inteligentes! Quer dizer apenas que têm o hábito de *delegar o pensamento* para os outros, em vez de fazê-lo por si sós. Desde o início da vida, quem adota a Postura Dependente aprende que o mundo não é seguro, nem confiável e que as coisas nem sempre são o que parecem. Em consequência, aprendem a olhar para os outros em vez de buscar a si mesmos a fim de entender o mundo. Meu filho mais velho é Seis, minha mãe é Dois e minha sogra é Um. Embora diferentes em vários aspectos, eles transitam pela vida de maneira bem semelhante. Encontram conforto e segurança quando estão ligados a figuras de autoridade que os ajudam a dar sentido ao mundo. Esse é o âmago da Postura Dependente, formada por aqueles que reprimem os pensamentos.

A Postura Retraída. Os tipos Nove, Quatro e Cinco formam a Postura Retraída. Eles reprimem as ações e é por isso que essa postura é conhecida como retraída. Isso não quer dizer que eles sejam necessariamente indiferentes ou antissociais. Em vez disso, significa apenas que tendem a ser voltados para dentro, autônomos, evitando tanto quanto possível depender dos outros. Em algum momento do caminho, quem possui a Postura Retraída aprendeu que sua presença não causa impacto e que não pode fazer muita coisa para mudar o mundo. Por causa disso, seu Centro de Ações caiu em desuso. No entanto, por ter pleno acesso aos pensamentos e sentimentos, sente-se confortável com a complexidade, muito embora se sinta ansioso em relação às realidades práticas da vida. Meu cunhado é Cinco, minha esposa é Quatro e minha filha mais velha é Nove. Todos são bem diferentes entre si, mas sua postura no mundo é bastante similar. São números retraídos, que reprimem as ações.

A Postura Assertiva. Quando a personalidade combina fazer e pensar, mas os sentimentos ficam do lado de fora, o indivíduo é propenso a ter grandes ideias e ações impulsivas, ou "assertivas", em sua maneira de transitar pelo mundo. Quando os sentimentos são reprimidos, é muito mais fácil se impor socialmente, trilhar a vida com confiança e resolver os problemas com assertividade.

Aqueles que possuem essa postura não são necessariamente arrogantes, bombásticos ou maldosos. Mas são pessoas muito voltadas para a ação. Não gostam de ficar sentadas sem fazer nada. Apreciam realizar e preferem não passar tempo demais processando como se sentem acerca das coisas.

Quem possui Postura Assertiva aprendeu cedo na vida que seus sentimentos complicam demais a vida. Por isso, conclui, quando criança, que é muito melhor deixar os sentimentos de lado. Eu sou Oito, meu sogro é Três e meu irmão mais velho é Sete. Somos todos muito semelhantes em nossa Postura Assertiva em relação à vida — e em nossa luta para diminuir o ritmo a fim de acessar toda a gama de emoções. Somos especialistas em intensidade e ambição. Mas estamos muito menos familiarizados com sentimentos como angústia, tristeza, ansiedade ou insegurança. Nossa postura é assertiva e reprimimos os sentimentos.

Que horas são?

Correndo o risco de exceder o limite racional de palavras para um único capítulo e de sobrecarregar o leitor, permita-me mencionar antes de concluir uma última coisa em relação às posturas. Sua Postura é importante, conforme vimos. Nosso Centro Reprimido determina não só nossa Postura no mundo e como reagimos e respondemos a ele, mas também define nossa *orientação temporal.*

Quero lhe fazer uma pergunta. Que horas são? Em sua mente, quero dizer. Quando você está sentado sem fazer nada em específico, para onde sua mente se dirige? Para o passado, o presente ou o futuro? Isto é, onde você vive, em termos de tempo? No passado, no presente ou no futuro?

Alguns de nós vivem no passado, outros no presente e outros ainda no futuro. Em que ponto do tempo nos vivemos depende de nossa postura ou de qual Centro de Inteligência nós reprimimos.

Se você reprime os pensamentos, sua orientação temporal é o presente. Se você reprime os sentimentos, sua orientação temporal é o futuro. E se você reprime as ações, sua orientação temporal é o passado.

Postura	Centro reprimido	Orientação temporal
Retraída (9, 4, 5)	Ações	Passado
Assertiva (3, 7, 8)	Sentimentos	Futuro
Dependente (6, 1, 2)	Pensamentos	Presente

Quem possui Postura Assertiva (Três, Sete e Oito) vive no futuro. Nós nos movemos muito rapidamente no mundo não por nos sentirmos reprimidos, mas porque nossa orientação temporal é o futuro. Antes mesmo de terminar algo, já estamos pensando no que vem em seguida. E no que virá depois disso também.

As pessoas tipo Sete vivem no futuro antecipando a próxima aventura ou experiência prazerosa. O Oito vive no futuro prevendo o próximo desafio e a conquista seguinte. O Três vive no futuro sonhando com a próxima meta realizada com sucesso.

Nosso filho Rager é um Sete clássico do Eneagrama. Tenho procurado ensiná-lo acerca de sua orientação temporal, pois ela é muito característica de seu comportamento e causa impacto significativo em nossa vida familiar. Rager é o primeiro a levantar de manhã. E quase sempre é o primeiro a indagar: "Ei, o que a gente vai fazer hoje?".

Recentemente eu lhe perguntei sobre o que se passa em sua cabeça quando fica olhando para o nada. Sua resposta? "No que vou fazer mais tarde hoje." Ele está sempre no futuro, sonhando com a próxima grande aventura. Não posso culpá-lo. O futuro é incrivelmente divertido, pois podemos imaginar que será qualquer coisa que quisermos.

Minha esposa Katie, por sua vez, é tipo Quatro. Sua orientação temporal é o passado. Assim como os outros com Postura Retraída, ela gosta de viver no passado. Quem é Quatro tende a remoer o passado para entender o que está pensando e sentindo. Relembra um acontecimento ou uma circunstância, às vezes de anos anteriores, pois sente que ela continua a impactar sua vida no presente. E impacta mesmo. Isso é algo muito importante a se entender acerca da Postura Retraída e sua orientação temporal.

O Nove vive no passado porque sua vida era mais pacífica e segura, com demandas bem menos exigentes. O Quatro vive no passado porque é lá que as coisas podem ser resolvidas.

Já o Cinco vive no passado porque é do passado que vêm os maiores insights.

As personalidades com Postura Dependente (Seis, Um e Dois) reprimem os pensamentos e, por isso, são voltadas para o presente. Uma vez que os pensamentos são reprimidos, são voltados para fora, para os outros. Também são muito responsivos à situação diante deles exatamente porque não estão perdidos em algum ponto do futuro. Quem tem Postura Dependente tende a ser bom em situações de crise, porque está ali "por inteiro".

O Seis passa a vida no presente encontrando a crise que ele sabia que estava prestes a vir. O Um vive no presente cumprindo cada dever e obrigação diante dele. E o Dois vive no presente atendendo a todas as necessidades a sua frente.

Quem tem Postura Dependente e reprime os pensamentos gosta de viver no presente porque as pressões imediatas da realidade não exigem pensamento produtivo — é preciso apenas responder às necessidades, crises ou obrigações do momento. O futuro é assustador para quem possui Postura Dependente, e o passado pode ser desolador. É muito melhor se manter ocupado no presente, em que é possível maximizar sua utilidade e contribuir com as necessidades e situações do momento.

Quem possui Postura Assertiva e reprime os sentimentos gosta de viver no futuro porque o futuro é um mundo de oportunidades empolgantes, novas aventuras e muito poucos revezes ou complicações. Pelo menos é assim que essa personalidade gosta de imaginar o futuro. Os números na Postura Assertiva são muito bons em reestruturar a realidade para se adequar a seu ponto de vista do que deve e pode ser. É por isso que vivem no futuro — porque ele pode ser moldado para se adequar a seu ponto de vista.

Os tipos Nove, Quatro e Cinco, marcados pela Postura Retraída, reprimem as ações e gostam de viver no passado porque, bem, não dá para fazer nada acerca dele. O que passou, passou. Pode ser desfrutado como uma memória agradável ou lamentado como uma experiência de luto. Mas o que está no passado acabou e não há nada que se possa fazer a esse respeito, o que combina muito bem com quem reprime as ações.

A orientação temporal é algo extremamente importante para os pastores entenderem quanto a si mesmos, sua equipe de trabalho e sua congregação. Conforme abordaremos posteriormente no capítulo 9, "Igrejas: são como famílias", minha convicção é que as igrejas não têm apenas personalidades, mas também orientação temporal. E isso se deve, em grande parte, à orientação temporal da liderança principal, em geral na figura do líder titular.

A Postura Retraída passa tempo demais analisando ou revivendo o passado. A Postura Dependente passa tempo demais respondendo às questões do presente. Pode transitar de uma crise para a outra em um fluxo sem fim de comportamento reativo. A Postura Assertiva passa tempo demais vislumbrando, sonhando ou planejando o futuro. Dedica-se em excesso ao que ainda está por vir.

Simples e complexo

Algumas coisas na vida são simples e outras, complexas. Queijo com goiabada, 1 + 1 = 2, jogar pega-varetas — tudo isso é bem simples. Neurociência, cálculo e astrofísica são coisas complexas.

Mas algumas coisas na vida — muito poucas — são, ao mesmo tempo, simples e complexas.

Pense no beisebol, por exemplo. Foi o único esporte que nunca joguei na infância. Nunca me chamou atenção porque sempre me pareceu simples demais para ser realmente desafiador ou divertido. Uma bola, um taco, algumas bases e muito tempo de espera — isso resume o beisebol. Prefiro a energia e a elegância do futebol ou a fluidez e a *finesse* do basquete.

Meus amigos, porém, me dizem que eu entendi tudo errado sobre o beisebol. Afirmam que é o melhor esporte do mundo exatamente por ser, ao mesmo tempo, simples e complexo. Para o observador desinformado (esse sou eu!), parece tão simples que chega a entediar. Mas para o iniciado, para o verdadeiro fã, trata-se de um mundo de sutilezas e complexidades, horas de decisões de risco e análises estratégicas. Não permita que as aparências o enganem, insistem meus amigos. O beisebol é, ao mesmo tempo, simples e complexo. Talvez seja por isso que, depois de todos esses anos, continua a ser o passatempo preferido dos norte-americanos.

O Eneagrama é como o beisebol. É simples e complexo. Há alguns anos, apresentamos os nove tipos de personalidade do Eneagrama para nossos filhos. Eles eram crianças, mas não tiveram dificuldade de entender. Cada um é capaz de lhe dizer qual é o próprio o número e explicar um pouco o que isso significa. Ao mesmo tempo, porém, o Eneagrama é extraordinariamente complexo.

Sim, o Eneagrama é simples. Meus filhos conseguem entender. Mas não, ele não é simplista. É multifacetado, cheio de camadas, com uma profundidade aparentemente infinita em sua complexidade fascinante. É por isso, pelo menos em parte, que ganhou tanta popularidade e força. Em muito pouco tempo, é possível conhecer o Eneagrama e conhecê-lo relativamente bem. No entanto, é impossível exaurir suas riquezas, mesmo estudando-o ao longo da vida inteira. É, ao mesmo tempo, simples e complexo.

As pessoas se sentem atraídas ao Eneagrama porque é fácil entendê-lo. Mas continuam voltando para ele porque é impossível superá-lo. Sei que toda vez que eu pego o Eneagrama para analisar o que ele tem a oferecer — para minha vida, meu casamento, minhas amizades, meus filhos, minha igreja ou meu trabalho — eu sempre saio com uma perspectiva nova ou um insight desafiador.

Minha amiga e mentora no Eneagrama, Suzanne Stabile, é mestre do Eneagrama. Tem apresentado sua sabedoria às pessoas há mais de trinta anos. Gosto muito do que ela diz acerca do Eneagrama. Após todos os anos de estudo, ela declara: "Ainda não encontrei o fundo".

Exatamente. Simples o bastante para as crianças entenderem, porém complexo o suficiente para uma vida inteira de estudo.

3

Pastoreando o rebanho

Nove maneiras de ser pastor

Não é uma época fácil para ser pastor. Por trás dos sorrisos pastorais, sermões inspiradores e campanhas de construção, espreita uma incerteza profunda (mesmo que velada) na mente de muitos ministros. Preste atenção ao que diz M. Craig Barnes, presidente do Seminário Princeton. Ele explica que o mais difícil de ser pastor hoje é "a confusão acerca do que significa ser pastor".[1]

Talvez seja por isso que tantos pastores se sintam como pouco mais que "uma massa trêmula de disponibilidade".[2] Ou quem sabe por isso tantos pastores deixem o ministério por exaustão todos os anos. Ou saem do ministério sem jamais querer voltar. Ou fazem tentativas trágicas de esconder a confusão e a estafa recorrendo a diferentes formas de autoentorpecimento, que vão de bebida e pornografia a casos extraconjugais, alimentação excessiva, obsessão por dinheiro e poder, além do completo afastamento emocional das pessoas em sua vida — e do próprio Deus.

Isso é trágico, especialmente porque costumava haver muita clareza quanto ao que significa ser pastor.

Por séculos, entendeu-se que ser pastor é cuidar do rebanho. O pastor lidera, ama, serve e, sim, pastoreia o rebanho de

Deus. Esse é o chamado do pastor, ancorado na identidade e na obra do grande pastor de ovelhas, Jesus Cristo.

O chamado pastoral é singular. Conforme o apóstolo Pedro deixa claro: "Cuidem do rebanho que Deus lhes confiou" (1Pe 5.2), ecoando a comissão que recebera anos antes quando Jesus lhe disse, com toda clareza: "Alimente minhas ovelhas" (Jo 21.17). Os pastores são aqueles que cuidam do rebanho. Simples assim.

Mas há algo que vale a pena relembrar. Embora exista apenas um chamado pastoral (para pastorear o povo de Deus), existe *mais de uma personalidade pastoral.*

Na verdade, há nove!

Isso significa que existem — sim, você acertou — nove tipos diferentes de pastores.

Lembre-se: há nove maneiras diferentes de enxergar o mundo, nove jeitos diferentes de transitar pela vida, nove formas distintas de responder aos relacionamentos, às situações e aos desafios que enfrentamos neste mundo. Portanto, há também nove modos diferentes de ser pastor, e cada um deles tem um estilo de liderança e pontos fortes singulares.

Qualquer um que tenha experiência na igreja sabe que isso é verdade. Você já deve ter notado que os pastores não vêm todos no mesmo modelo ou tamanho. Têm personalidades diferentes, assim como nós todos. Às vezes, queremos colocá-los em uma pequena caixa de expectativas intitulada "É isso que significa ser pastor". Em geral, porém, isso termina em decepção para nós e frustração para eles, pois cada um de nós é quem é — inclusive os pastores.

Creio que esse é um bom lembrete para as congregações — e uma verdade libertadora para os pastores. Com frequência, os pastores sentem imensa pressão de ser certo *tipo* de pastor.

Às vezes, essas expectativas — que podem ser próprias ou da igreja — se chocam com quem eles são como indivíduos. E não importa o quanto se esforcem ou o quão intensamente orem, jamais se transformarão em um tipo diferente de pessoa, um tipo diferente de pastor.

Para que o Eneagrama entre na igreja, faz todo o sentido do mundo que comece com o pastor — ao nos lembrar que os pastores são como o restante de nós. Eles também possuem um dos nove tipos diferentes de personalidade que molda como enxergamos o mundo, e isso exerce impacto profundo em sua maneira de conduzir o ministério pastoral.

Talvez você já saiba qual é seu tipo ou número do Eneagrama. Se não, este capítulo servirá como uma introdução aos nove tipos. Permita-me incentivá-lo a ler as páginas a seguir com a mente e o coração abertos. Preste atenção ao que mexe com você. Não se preocupe caso não se identifique nem um pouco com várias dessas descrições. Isso é normal. Uma ou duas, porém, calarão mais fundo que as outras. Quem sabe uma delas se destacará como a mais semelhante a quem você é.

Não se preocupe caso não consiga se decidir entre duas ou três alternativas possíveis. A genialidade do Eneagrama é que ele nos põe em uma jornada. Leia o capítulo inteiro e, quem sabe, leia uma segunda vez. Observe o que chamar sua atenção e reflita. Converse a esse respeito com seu cônjuge, um amigo ou colega de ministério, e ouça a opinião dessa pessoa. E, claro, ore pedindo iluminação, sabedoria e direcionamento.

Minha esperança é que este capítulo ajude você a identificar seu número no Eneagrama. Também espero que o ajude a apreciar os outros oito tipos do Eneagrama — quem são, como enxergam o mundo e como abordam o ministério na igreja.

Comecemos então com os nove tipos de pastores.

Tipo Um: o pastor de princípios

Os pastores tipo Um são cheios de princípios, honestos, diligentes e trabalhadores. Valorizam estruturas, processos e as coisas feitas com decência e ordem. São racionais, focados em resultados e sempre cumprem as regras. Não camuflam resultados, não pulam reuniões, não pegam atalhos e jamais enrolam. São leais, confiáveis e meticulosos. Esses pastores de princípios são líderes constantes e sólidos, modelos de consistência e fidelidade.

Com base no capítulo anterior, você se lembrará de que o Um pertence à Tríade da Ação, ao lado dos tipos Oito e Nove. Transita pelo mundo observando o que há para ser feito. Ao contrário do Oito e do Nove, porém, o Um busca dar ordem ao mundo — tanto externo quanto *interno*. É por isso que é tão cumpridor dos deveres, tão disciplinado e meticuloso. Usa sua energia significativa para tornar o mundo um lugar melhor, mais organizado e mais justo — começando por si mesmo para então partir para os outros.

Quem é Um usa os sentimentos para apoiar as ações. É por isso que o Um tem sentimentos tão fortes quanto ao que deve ser feito em qualquer situação — e por isso acaba sendo interpretado como uma pessoa de opinião forte. No entanto, por reprimir os pensamentos, pode acabar não captando nuances e evita aceitar ambiguidades. Para ele, o mundo é preto no branco. Por causa disso, o Um pode ser rígido e inflexível. De todos os tipos, é o que mais sofre com o legalismo e com uma atitude julgadora, dois perigos para o ministério pastoral. Em contrapartida, é defensor da justiça, ama a retidão e é apaixonado pela verdade. É um pastor de princípios e, como tal, costuma ser um modelo de virtude. É tremendamente confiável.

O Um tem padrões elevados, às vezes elevados demais para o restante de nós. Não gosta de trabalho inferior e malfeito e tem pouca simpatia por aqueles que não conseguem dar tudo de si. Quem é Um vive com a sensação implacável do *dever fazer*, o que o leva a ser um perfeccionista incansável e, às vezes, irrealista em suas expectativas quanto aos outros — incluindo os membros da igreja. Cada decisão tem uma resposta "certa". Isso o torna rigorosamente consistente e, com frequência, muito direto. Você sempre saberá qual é a posição do pastor de princípios em relação a determinado assunto, mas pode não ser fácil promover conversas sobre abordagens alternativas.

Os pastores tipo Um abordam as decisões com objetividade, priorizam fatos e números e se sentem incomodados com incertezas e indecisões. Não gostam de correr riscos e, sendo bem franco, não são especialmente otimistas ou aventureiros. Às vezes, isso pode ser difícil para congregações que carecem de uma liderança renovada, que pensa para a frente. Mas aquilo que falta em carisma ou visão para o pastor de princípios é compensado por sua abordagem sensata, prática e constante tanto à vida quanto ao ministério.

Tipo Dois: o pastor generoso

Os pastores tipo Dois são receptivos, amigáveis, corteses e charmosos. São pastores generosos que valorizam as pessoas, priorizam os relacionamentos e amam se conectar com os outros. Conforme explicou o apóstolo Paulo, "de boa vontade" se desgastam e gastam tudo que têm para o bem daqueles a quem servem (2Co 12.15).

O pastor generoso tem a habilidade incomparável de saber como os outros se sentem e do que precisam sem que tenham de dizer nada. Acha fácil e agradável se relacionar com diferentes tipos de pessoas na igreja ou no bairro e tem o dom extraordinário de fazer amizade com praticamente qualquer um. Quem é tipo Dois não considera ninguém estranho — e dificilmente tem inimigos. É, de fato, "gente que gosta de gente", uma qualidade maravilhosa para qualquer um envolvido no ministério pastoral.

Lembre-se de que o Dois faz parte da Tríade do Sentimento. Toma a iniciativa com os sentimentos, usa as ações para apoiá-los e deixa os pensamentos ficarem para trás e caírem em desuso. Tal combinação o torna uma pessoa em sintonia emocional, voltada para o serviço. O Dois sabe do que precisamos muitas vezes antes de nós mesmos. E, uma vez que se apoia nas ações para embasar os sentimentos, já está quase terminando de resolver nosso problema antes mesmo de reconhecermos a necessidade em questão.

Isso o torna uma espécie de vidente das necessidades alheias. Trata-se de uma habilidade extraordinária e um grande recurso no ministério. Mas aí é que mora o perigo. Por usar em excesso os sentimentos e apoiá-los com as ações, tende a "fazer" seus sentimentos, em lugar de realmente "senti-los".

Para os pastores generosos, amor equivale a atos de serviço. E embora costumem ser modelos de sacrifício amoroso, podem amar os outros de maneira irrefletida. Por reprimirem os pensamentos, não param um pouco para questionar: "Cabe a mim fazer isto?". Ou: "Será que esta pessoa quer mesmo minha ajuda ou precisa dela?". Tomam a iniciativa com os sentimentos, apoiam com as ações e reprimem os pensamentos. Isso significa que têm muita dificuldade em definir limites de tempo e acabam exagerando no trabalho. Para ser direto, é fácil tirar vantagem deles.

Uma vez que o Dois é tão intensamente relacional, aprecia que os outros gostem dele e quer ser necessário. Isso o torna uma pessoa extremamente charmosa e querida, bem como um excelente colaborador e membro de equipe. É difícil encontrar um colega mais disposto a se sacrificar ou um chefe mais generoso. Às vezes, porém, esse foco nas pessoas pode acabar interpretado como sufocante e até emocionalmente manipulador — algo que o Dois precisa desenvolver bem a autoconsciência para reconhecer.

Como líder no ministério, faz as coisas com as pessoas e por meio das pessoas. Prefere trabalhar em equipe a realizar sozinho. Para o Dois, manter as portas abertas não é apenas uma praxe, mas um estilo de vida. Generoso até demais e misericordioso além da razão, o Dois tolera os defeitos alheios, é paciente com quem enfrenta dificuldades e longânimo com a incompetência e o mau desempenho.

Embora não seja conhecido como um tipo de personalidade agressivo, o Dois pode ser, se assim o escolher, extremamente persuasivo e assertivo, sobretudo em situações de estresse. Sabe conquistar amigos e influenciar pessoas. Costuma fazê-lo por meio de elogios e atos de gentileza. O Dois avalia propostas e planos tendo em vista como eles afetarão as pessoas. Isso faz dele um líder sensível e empático. Às vezes, porém, isso pode atrapalhar sua habilidade de tomar uma decisão difícil mas necessária.

Os pastores generosos não sentem a necessidade de estar sempre no controle ou no comando. Mas gostam de estar perto desses líderes. E embora costumem ser muito bons diante das pessoas, não sentem a necessidade de se colocar debaixo dos holofotes e ficam felizes ao agregar valor nos bastidores. Em sua melhor condição, os pastores tipo Dois são capazes de

Tipo Três: o pastor eficiente

Os pastores tipo Três — ou pastores eficientes — são inteligentes, charmosos, competentes e talentosos. Valorizam a eficiência, a definição e o cumprimento de metas, e gostam de fazer as coisas com profissionalismo e excelência.

O Três é focado no sucesso e, com frequência, o alcança. Tem ritmo acelerado, é voltado para o cumprimento de tarefas e extremamente competitivo. Isso significa que realiza mais em um dia de ministério do que a maioria dos outros pastores em uma semana. É uma pessoa de alto impacto e, de modo geral, torna-se um líder bem-sucedido e um pastor extremamente talentoso. Tem um currículo invejável e uma ambição maior ainda. Sob sua supervisão, as coisas acontecem e tudo funciona.

Por ser um ponto de equilíbrio no Eneagrama, o Três toma a iniciativa com os sentimentos e usa as ações ou os pensamentos para apoiar os sentimentos, ao mesmo tempo, porém, que reprime os sentimentos. Embora seja bom em lidar com pessoas e altamente interpessoal, não *processa* o mundo com os sentimentos. Em vez disso, o faz com os pensamentos ou as ações. Isso o torna charmoso mas eficiente, envolvente mas também voltado para a realização de tarefas. O Três costuma ser um líder franco muito forte que não só conhece as pessoas, como também sabe como realizar as coisas com sua equipe e por meio dela.

No entanto, os pastores eficientes têm dificuldade com o ministério da presença. Por terem um ritmo tão acelerado e valorizarem tanto a eficiência e a eficácia, não gostam de se envolver em relações pastorais complicadas ou se demorar em emoções caóticas, sem solução. O Três prefere estar em movimento e, sempre que possível, se deslocar dos sentimentos para os pensamentos e as ações.

É por isso que o Três é tão bom em solucionar problemas — mas nem sempre é o melhor dos ouvintes. O Três dá a impressão de se importar, mas acaba não cumprindo essa promessa. Em outras palavras, ele nem sempre é tão sensível quanto parece, porque se desloca rapidamente dos relacionamentos para as responsabilidades. Os pastores tipo Três são melhores em prover aconselhamento pastoral do que cuidado pastoral.

Por terem inteligência relacional, sabem interpretar um ambiente e são bons em interagir com diferentes tipos de pessoas. Também são extremamente adaptáveis. Isso significa que têm facilidade de ajustar a própria *persona* ou abordagem para causar uma impressão favorável e garantir que se conectarão bem com os outros. O Três é o Albert Einstein do *networking*.

A combinação singular de motivação pessoal e sensibilidade relacional dos pastores tipo Três os transforma em excelentes líderes de equipes e colaboradores da linha de frente. São polidos, bem articulados e cuidadosos com a própria imagem, ou seja, gostam de fazer bem as coisas — e de projetar uma boa imagem enquanto o fazem.

O Três é capaz de fazer algo extremamente difícil parecer irritantemente fácil. Às vezes, porém, pode parecer camaleônico, oportunista e, pior ainda, propenso a usar os outros para benefícios pessoais. E isso pode ser um grande risco ao ministério pastoral.

O amor à eficácia leva os pastores eficientes a pegar atalhos, sacrificar a precisão em busca de resultados e se tornar impacientes com aqueles que andam em um ritmo mais tranquilo. Além disso, o medo do fracasso como se fosse um destino pior que a morte pode tentá-los a distorcer a verdade a seu favor ou a se gabar das próprias realizações.

Como o sucesso é sua única opção, o pastor eficiente tende a ser *workaholic*, avesso à preguiça e intolerante à incompetência, tanto a própria quanto a dos outros. Mas, quando os pastores tipo Três equilibram essa necessidade de brilhar mais que os outros com uma preocupação genuína pelas pessoas, tornam-se ministros cativantes e admiráveis.

Tipo Quatro: o pastor criativo

Os pastores tipo Quatro são intuitivos, empáticos, reflexivos e idealistas. Com forte inclinação estética e senso de estilo, são os pastores criativos do Eneagrama. Sentem as coisas com profundidade e não têm medo de se expressar, às vezes com um grau de franqueza que chega a incomodar o restante de nós.

O Quatro não gosta de fazer rodeios e conversar amenidades, tampouco se importa com superficialidades. Valoriza conversas substanciais e conexões profundas. Se não é para ser genuíno, melhor nem ser. O Quatro não finge. É algo contrário a sua natureza. Autenticidade é a única opção.

Por pertencer à Tríade do Sentimento, o Quatro toma a iniciativa com os sentimentos. Mas apoia os sentimentos com os pensamentos e, diferentemente do Dois e do Três, reprime as ações. Isso significa que o Quatro se sente muito mais à vontade no mundo dos sentimentos — os próprios e os alheios — do que no mundo das ações. Ele sente a vida, em vez de realizá-la.

Uma vez que o pastor criativo toma a iniciativa com os sentimentos e apoia seus sentimentos com os pensamentos, é extraordinariamente empático. Não se esquiva diante da dor emocional alheia. Pelo contrário, aprecia a oportunidade de testemunhá-la com sua companhia. O pastor tipo Quatro não se intimida com a tristeza, a perda e a angústia de uma congregação. Pelo contrário, é revigorado em situações como essas. Sua profunda presença emocional oferece um bálsamo de cura em meio a circunstâncias pesarosas.

Uma vez que os pensamentos apoiam os sentimentos, o Quatro pode ser intensamente emotivo e introspectivo. Isso pode prendê-lo a um círculo de complexidade e intensidade emocional, no qual ele gira sem parar em torno dos sentimentos e de reflexões sobre os sentimentos — sem jamais partir para ações produtivas.

O Quatro está em busca daquilo que é extraordinário nele próprio, nos outros e no mundo ao redor. Entedia-se facilmente com o que é comum e corriqueiro. Costuma atrair pessoas para perto de si, tem ótimo olho para identificar o belo, aprecia o esteticamente agradável e é capaz de nos fascinar com seus insights e sua inspiração artística.

O pastor tipo Quatro desfruta a coragem de suas convicções e não tem medo de falar a verdade. Pode-se confiar que ele dirá o que precisa ser dito, mesmo quando os outros estiverem constrangidos ou envergonhados demais para verbalizar o que está acontecendo. Em nossa era de botox e inautenticidade, o Quatro é um símbolo luminoso da verdade.

O Quatro é intuitivo nos relacionamentos e se sente confortável com as emoções, por isso é um colega de trabalho, conselheiro e líder congregacional muito sensível e apoiador. Contudo, sua vida interior intensa pode parecer "exagerada" para quem não está acostumado a navegar em águas emocionais mais profundas. O Quatro naturalmente tem um elevado quociente emocional, que pode ser de grande auxílio aos colegas quando o ambiente promove a transparência e a vulnerabilidade.

Muito embora os pontos fortes do Quatro não sejam as qualidades que tendemos a associar à liderança, ele pode ser um visionário inspirador e um promotor compassivo da verdade. Proféticos, cuidadosos, vulneráveis e corajosos, os pastores tipo Quatro são, em sua melhor condição, humanitários heroicos.

Tipo Cinco: o pastor reflexivo

Os pastores tipo Cinco são objetivos, racionais, humildes e autossuficientes. Amam sua independência e apreciam tanto o tempo quanto o espaço para contemplar o sentido mais profundo das coisas. O Cinco faz o tipo erudito: intelectualmente curioso, repleto de conhecimento e sábio acerca de muitas coisas. É um pastor reflexivo, com credenciais e uma biblioteca pessoal para comprovar isso!

O Cinco faz parte da Tríade do Pensamento, ao lado do Seis e do Sete. Logo, lê o mundo com os pensamentos. Mas, assim como o vizinho à sua direita, o Quatro, ele reprime as ações. Usa os sentimentos para apoiar os pensamentos e é por isso que costuma investir emocionalmente naquilo em que pensa ou acredita. No entanto, por reprimir as ações, tem dificuldade de agir produtivamente com base em suas convicções mais profundas.

Os pastores reflexivos podem acabar paralisados analisando as coisas sem parar, em vez de simplesmente agir. Acham mais confortável e gerenciável viver no mundo das ideias e pedir ajuda aos sentimentos para reforçar suas reflexões sobre o mundo. Mas lutam para transformar suas ideias em ação e traduzir seus insights em soluções práticas para os outros.

Os pastores reflexivos são reservados, em geral tímidos e até se esforçam para não se destacar. Não precisam dos holofotes;

na verdade, preferem evitá-los. Embora seja o tipo mais naturalmente introvertido dentre os nove, o Cinco pode ser um líder forte e convincente. No entanto, seus pontos fortes como líder não provêm da força de sua personalidade, mas, sim, *da consistência de suas ideias*. Pastoreia as congregações não com charme e carisma, mas com "conhecimento e entendimento" (Jr 3.15).

Uma vez que os indivíduos tipo Cinco são, por natureza, "prontos para ouvir, mas não se [apressam] em falar" (Tg 1.19), quando se levantam para falar, as pessoas param e ouvem. A combinação de modéstia pessoal e profundidade intelectual lhes confere uma solenidade que tende a faltar em líderes mais exuberantes ou expressivos.

O Cinco é um excelente analista de situações. Aborda as decisões com extrema objetividade e dificilmente corre o risco de ser sobrecarregado pelas emoções, as próprias ou as dos outros. Focados em processos, orientados por dados e implacavelmente factuais, os pastores tipo Cinco podem transparecer indiferentes, reservados ou até mesmo desinteressados. Mas esse exterior austero, que lembra o personagem Spock, da saga *Jornada nas Estrelas*, mascara sua paixão pela vida da mente e seu amor à verdade.

De todos os tipos do Eneagrama, o Cinco é o líder de pensamento mais natural. Contanto que equilibre sua necessidade de autonomia e independência com um compromisso com a interdependência e a vida em comunidade, pode ser um líder pastoral transformador que inspira os outros com suas reflexões e ideias.

Tipo Seis: o pastor leal

Os pastores tipo Seis são leais, lógicos, confiáveis e cuidadosos. Valorizam a certeza e a segurança. Investigam o ambiente o tempo inteiro em busca de sinais de perigo ou possíveis ameaças. O Seis deseja se sentir seguro porque, lá no fundo, considera o mundo assustador e imprevisível. Ótimo para resolver dificuldades e excelente solucionador de problemas, o Seis é constante quando sobrevém uma crise, porque já pensou na maioria dos piores cenários possíveis.

O Seis também pertence à Tríade do Pensamento. Isso significa que processa as informações com os pensamentos. Mas, por ser o ponto de equilíbrio da tríade, apoia-se nos sentimentos ou nas ações para apoiar os pensamentos e, ironicamente, permite que estes caiam em desuso. O Seis pode ficar obcecado cogitando cenários possíveis e deixando a mente divagar naquilo que poderia vir a acontecer. Isso parece pensamento e, em muitos aspectos, é mesmo. Mas nem sempre é pensamento *produtivo* — voltado para a realidade e os resultados. Em vez disso, trata-se de um uso excessivo dos pensamentos que pode acabar distorcendo seu verdadeiro propósito.

O Seis deseja se dedicar plenamente às comunidades e às causas com as quais se importa. Antes de tudo, porém, precisa garantir que são confiáveis. Lembre-se: o Seis é avesso a riscos e cauteloso não só com seu ambiente, mas também com os relacionamentos. A confiança é vital. É por isso que o Seis faz perguntas e pressiona para obter respostas. Pode parecer dúvida ou rebeldia, mas, para o Seis, é apenas uma forma de buscar garantias.

Depois que o Seis processou as dúvidas e ganhou confiança em uma pessoa ou instituição, mergulha de cabeça — às vezes com lealdade beirando ao irracional. O Seis é o total oposto daqueles que só apoiam nos bons momentos, e isso é um atributo maravilhoso para qualquer pastor. Se ele estiver do seu lado, permanecerá firme até o mais amargo fim.

Trabalhador, minucioso e dedicado, o Seis é um líder fiel e um colega leal. A expressão amigável do Seis é genuína. Ele de fato se importa com os outros e quer o melhor para aqueles que ele lidera ou serve. Não é ligado a status. Estar no topo não é sua maior prioridade. Aliás, na maioria dos casos, ele prefere torcer pelo mais desfavorecido. Isso o transforma em um chefe, colega de trabalho e amigo ao mesmo tempo despretensioso e compreensivo. E o melhor: ele sempre o apoiará.

Em posição de liderança, o Seis não age apressadamente, nem toma decisões sem pensar. Cada plano é cuidadosamente pensado e refletido. Quando sua personalidade ultrapassa o saudável, essa tendência cuidadosa e deliberada pode se tornar ansiosa, desconfiada e até paranoica. De fato, o Seis é capaz de se preocupar sem parar com possíveis problemas, em vez de simplesmente seguir em frente com a melhor decisão.

Todavia, quando o Seis é equilibrado, revela-se um líder estável, que define a direção, defende os outros e traça uma rota de ação rumo ao bem comum, a fim de que todos vençam juntos.

Tipo Sete: o pastor animado

Os pastores tipo Sete são os mais animados do Eneagrama — espontâneos, entusiasmados, empreendedores e otimistas. Valorizam a liberdade para explorar o mundo e aproveitar a vida ao máximo. Mais que qualquer outra coisa, temem se ver presos a circunstâncias desagradáveis ou emoções tristes. O Sete fica incomodado com limitações de qualquer natureza, sobretudo se causarem dor. Anda em ritmo acelereado e é voltado para o futuro, sempre bolando algum novo plano ou uma estratégia inédita.

O Sete, assim como o Seis, faz parte da Tríade do Pensamento. Também tem muita coisa passando em sua mente. Mas apoia os pensamentos com as ações, e isso o transforma em uma fonte de energia vital. Adora sonhar com conquistas futuras quase tanto quanto desfrutá-las. O Sete jamais se envolve em uma aventura da qual não goste. É capaz de planejar férias nos maiores detalhes e depois fazer tudo de novo.

Para o Sete, as ações apoiam os pensamentos e os sentimentos são reprimidos. O mais irônico é que o Sete *acredita* que está em contato com seus sentimentos. No entanto, quando a situação é analisada mais de perto, percebe-se que ele tem acesso somente a uma gama reduzida de sentimentos — e os sentimentos que ele acessa tendem a ser positivos, não negativos.

Você não encontrará muitas pessoas tipo Sete que estejam familiarizadas com a angústia e o sofrimento. Mas conhecerá várias pessoas alegres e animadas que se identificam com o Sete. Irresistivelmente cativante, o Sete transborda com ideias empolgantes e tem energia de sobra para transformar muitas delas em realidade.

Os pastores tipo Sete, ao contrário de seus colegas tipo Seis, abordam o mundo e o ministério com o pensamento voltado para o melhor cenário possível, não o pior. Não conhecem ninguém de quem não gostam, não há ideia nenhuma que não achem interessante, nenhuma experiência que não apreciem e nenhuma oportunidade que não queiram aproveitar. Se o Seis se preocupa com o que *deve* acontecer, o Sete se empolga com o que *pode* acontecer. Um tesouro brilhante está prestes a ser encontrado a cada nova esquina.

O Sete é inovador, pensa fora da caixa, ama discutir novas ideias. Absorve informações com rapidez e as sintetiza com facilidade. Joey, outro pastor com quem já trabalhei, é tipo Sete. Era o tipo de pastor de jovens que não só jogava bola muito bem, como também amava encher a boca com vários marshmallows ao mesmo tempo! Ainda assim, Joey, o pastor animado, também mandava muito bem no doutorado em teologia histórica — ele simplesmente amava se divertir no mundo das ideias. Afinal, há tanta coisa para ver, tanta coisa para aproveitar, tanta coisa para aprender!

Os pastores tipo Sete abordam cada processo de decisão com base no que aumentará suas opções futuras, em vez de reduzi-las. Tendem a priorizar o novo em lugar do conhecido, o empolgante em lugar do confiável, o arriscado em lugar do previsível. São qualidades maravilhosas para o pastor de uma igreja recém-plantada ou de uma igreja antiga que carece de uma reviravolta.

Contudo, o otimismo sem limites do pastor animado pode, às vezes, estar desconectado da realidade. O Sete é capaz de reestruturar situações negativas em um nanossegundo. Isso significa que é muito propenso a ignorar os fatos brutais, a evitar conversas difíceis e a colocar de lado questões desagradáveis.

É claro que isso faz parte do charme do Sete. O restante de nós ama sua disposição alegre e a promessa de que amanhã "com certeza" será melhor do que hoje. Mas a visão incessantemente cor-de-rosa da realidade é também seu calcanhar de Aquiles.

Se o Sete não equilibrar essa abordagem animada à vida com um toque de realismo sensato, corre o risco de desabar em momentos difíceis ou, pior ainda, passar correndo pela vida sem deixar uma contribuição significativa. E isso seria trágico, pois o Sete é imensamente talentoso e tem muito a oferecer.

Em sua melhor condição, o Sete é um visionário inspirador com energia empreendedora capaz de descortinar novas formas de enxergar o mundo e caminhos inéditos para interagir com a realidade. Sem a presença do Sete, a igreja — e o mundo, para falar a verdade — seria um lugar escuro. O Sete é o raio de sol do Eneagrama.

Tipo Oito: o pastor visionário

Os pastores tipo Oito são visionários, protetores, seguros de si e estratégicos. Valorizam a ação, gostam de fazer as coisas acontecerem e de influenciar o mundo à sua volta. Quem é Oito está extremamente antenado à dinâmica do poder e sabe como usá-lo para benefício próprio. Franco, honesto e direto, o Oito não faz rodeios e adora o estímulo de um grande desafio, uma conversa intensa ou um bom debate.

O Oito pertence à Tríade da Ação, por isso sobe ao palco da vida pronto para realizar grandes coisas, efetuar mudanças profundas no mundo e deixar sua marca. Tem mais energia do que todos os outros tipos de personalidade. Parece uma fonte infinita de motivação. Usa os pensamentos para amparar as ações. Por isso, pode parecer impulsivo em certas ocasiões, mas grandes estrategistas em outras.

Sua tendência é agir. E, ao se apoiar nos pensamentos para apoiar as ações, é capaz não só de elaborar planos poderosos, como também de articular razões convincentes para sua estratégia fazer sentido. Também lança mão de sua energia imensa e personalidade forte para recrutar outros para sua causa. É o pastor visionário.

Por ser uma das três personalidades que reprime os sentimentos (juntamente com o Três e o Sete), o Oito presume que seus planos são os mais importantes, sua voz a mais significativa, e seu jeito de fazer as coisas o melhor. Tem dificuldade para colaborar, ouvir a opinião dos outros e ser paciente com as pessoas. No entanto, ao passo que o Oito reprime os sentimentos (em especial de vulnerabilidade), tem muita facilidade para acessar um sentimento em específico: a *raiva*. E não é só isso: o Oito sabe como usar a raiva em vantagem própria como ferramenta poderosa ou arma perigosa.

O Oito combina sua forte tendência à ação com uma mente aguçada. Isso faz dele um excelente pensador estratégico e um poderoso visionário. É muito natural para o Oito passar tempo pensando no futuro e planejando a próxima conquista. Voa a cinquenta mil pés de altitude, entende com facilidade o quadro mais amplo e considera os detalhes da vida entediantes, triviais e abaixo do escopo de sua imensa ambição. É por isso que o Oito tende a ser um gerente mediano, mas um excelente líder.

Extremamente confiante em suas habilidades e em sua avaliação da realidade, o Oito toma decisões à velocidade da luz, quase que por instinto. Embora goste muito de explicar ou *justificar* suas decisões, elas não são tomadas com base em reflexão racional, mas, sim, por instinto.

O Oito já sabe imediatamente o que quer fazer antes que ele e os outros tenham sequer a chance de pensar. Isso dá ao Oito a aura de ser ousado, decidido, corajoso e determinado. Para os outros, essa forma de estar no mundo parece impulsiva, teimosa e precipitada. Também pode deixar as pessoas ao redor inseguras, por sua abordagem agressiva à vida.

A despeito do interior durão, o Oito é muito sensível. Embora a raiva e até a ira espreite por trás da superfície, pode ser incrivelmente generoso, abnegado e de coração grande. Em sua melhor condição, o Oito aprende a incorporar uma gama mais ampla de emoções, sobretudo aquelas que exprimem sua humanidade e vulnerabilidade — algo que o Oito tem extrema dificuldade de fazer. Quanto mais bem integrados e equilibrados, mais esses pastores visionários conseguirão usar sua grande personalidade para realizar grandes mudanças no mundo.

Tipo Nove: o pastor consistente

Os pastores tipo Nove são tranquilos, diplomáticos e trabalhadores. Querem que as coisas sejam harmoniosas tanto no ambiente de trabalho quanto nos relacionamentos e buscam evitar conflitos quase a qualquer custo. O Nove é simpático, amigável e fácil de lidar. É um bom ouvinte, com ego modesto. Isso o ajuda a se dar bem com todos. Afável e aceitador, o Nove é uma companhia agradável em qualquer equipe. É um pastor consistente.

O Nove, assim como o Oito, pertence à Tríade da Ação. Isso quer dizer que lê o mundo em termos de planejamento, impacto e proteção. No entanto, ao contrário do Oito, o Nove prefere e reprime as ações ao mesmo tempo. Por ser um ponto de equilíbrio (assim como o Seis e o Três), aquilo que se sobressai também fica para trás — no caso, as ações.

Portanto, o Nove tem muita consciência do que quer fazer ou do que deve ser feito, mas, por reprimir as ações, não se considera capaz de causar grande impacto no mundo. Em algum momento, comprou a ideia de que sua presença não é importante e não faz muita diferença.

Embora o Nove seja uma pessoa extremamente competente, sente certa ambivalência em se posicionar no mundo. Apoia-se nos pensamentos ou nos sentimentos como fonte de amparo e prefere viver em condição de harmonia pacífica com o ambiente, sempre que possível.

O Nove fica no topo do Eneagrama por um bom motivo. Dos nove tipos de personalidade, é o melhor em assumir diferentes perspectivas, em ver as coisas do ponto de vista do outro. Procura naturalmente incluir as outras pessoas e aprecia encontrar para os problemas soluções nas quais todas as partes saiam ganhando.

É isso que torna o Nove um excelente facilitador, um sábio conselheiro e um maravilhoso árbitro. Esses pastores consistentes são mestres em elucidar tensões relacionais e reduzir a temperatura em conflitos. Há ocasiões em que lançam mão do humor autodepreciativo, mas, na maior parte das vezes, basta recorrer ao poder de sua presença benigna e conciliadora.

O Nove evita tudo que introduza em um grupo desarmonia, conflito ou separação. Como pastor e líder, ele se especializa em criar consenso e unir as pessoas. O Nove tem facilidade para subordinar a própria agenda às necessidades e preocupações dos outros. Na verdade, tende a entrar em simbiose com as pessoas que são importantes para ele e, sem perceber, acaba se perdendo nesse processo.

Quando, porém, seus pontos fortes estão em equilíbrio, o Nove é capaz de enxergar todos os lados de uma questão, ouvir a opinião de cada um, incorporar ideias conflitantes a fim de formar um todo coerente e criar uma visão compartilhada que atenda aos interesses de todos. Esses pastores consistentes são geniais em reuniões congregacionais emocionalmente tensas ou conflituosas.

Estável e despretensioso, o Nove é uma criatura gentil e graciosa. Isso não significa, porém, que seja tímido ou complacente. Não permita que sua expressão serena ou jeito comedido de falar o engane. Por fazer parte da Tríade do Corpo, ao lado do Oito e do Um, ele também é movido pela raiva (mesmo que esteja alienado dela) e pode se revelar extremamente teimoso e passivo-agressivo caso se sinta ameaçado. No entanto, quando seu lado sombrio é controlado, os pastores

O Eneagrama não é uma máquina rotuladora

Anos atrás, comprei um rotulador. Li em algum lugar que a máquina me ajudaria a ser mais organizado, a limpar meus arquivos e a jogar fora sacos de lixo que estavam entulhando minha escrivaninha.

Quando chegou pelos correios, abri todo empolgado e comecei a colocar a máquina em ação. Era só digitar uma palavra ou expressão que queria transformar em rótulo e apertar "imprimir". Pronto: saía uma etiqueta em fita adesiva que eu poderia grudar com facilidade em meus arquivos.

Aquilo virou um jogo para mim. Rotular era delicioso. Passei a me sentir mais ousado e poderoso, com uma nova sensação de controle sobre a bagunça e, às vezes, sobre o caos da papelada em minha vida. Agora, havia um lugar para tudo e tudo tinha seu lugar.

Às vezes, abordamos o Eneagrama dessa mesma forma — como se fosse uma máquina rotuladora. Queremos digitar "Ele é Quatro" ou "Ela é Sete", apertar o botão de imprimir e colar um rótulo na testa de um colaborador da igreja, um membro da congregação ou um colega de ministério.

É tentador usar o Eneagrama como um rotulador, afinal ele esclarece tanta coisa! No entanto, ao fazer isso, transformamos o Eneagrama em uma arma ou gaiola. Uma vez que o Eneagrama é uma ferramenta poderosa para entender os tipos de personalidades, somos tentados a usá-lo como arma para categorizar e, assim, tentar controlar os outros.

É nesses momentos que precisamos ser lembrados do mistério insondável das pessoas, inclusive dos pastores e de outros líderes da igreja. Muito embora o Eneagrama seja extremamente útil para nos ajudar a transitar por personalidades e relacionamentos interpessoais complexos, devemos resistir a tratá-lo como um talismã que nos dá controle sobre os outros, como uma espécie de truque Jedi da mente.

Michael Goldberg, consultor do Eneagrama, fala sobre como nos sentimos tentados a colocar as pessoas em "eneacaixas".[3] Isso pode se tornar muito problemático, sobretudo quando só levamos em consideração o comportamento da outra pessoa, sem investigar os padrões motivacionais que deram origem àquela conduta.

Helen Palmer explica por que isso é tão tentador: "Queremos colocar os outros dentro de caixas porque isso diminui a tensão de viver com o mistério do desconhecido e porque, no mundo ocidental, temos o vício de reduzir as informações a categorias fixas, a fim de tentar fazer previsões de causa e consequência".[4] Precisamos resistir a essa tentação.

O Eneagrama não tem como objetivo reduzir-nos a uma caixinha. Em vez disso, ele existe para aumentar nossa consciência da "caixa" chamada personalidade, dentro da qual já nos encontramos. Aliás, o Eneagrama serve para *abrir a caixa de sua personalidade*, a fim de que ela não o aprisione a padrões habituais de ação e reação sem que você tenha consciência disso.

Essa é a promessa do Eneagrama e se aplica a todos nós e, quem sabe, sobretudo aos pastores.

4

Liderança

A arte da consciência

Meu amigo Steve é pastor de uma igreja situada em um dos bairros mais diversos e difíceis do país. À frente de um ministério evangélico que faz a diferença, está provocando um impacto profundo em sua comunidade. Steve cuida de uma congregação às margens da sociedade. Muitos são vulneráveis e carentes. Sua igreja está em constante estado de rotatividade. A cada semana, ele enfrenta desafios diferentes, alguns deles de partir o coração e de cair o queixo ao mesmo tempo!

No entanto, Steve guia seu rebanho com graça e alegria. Ele e a esposa, Rebecca, personificam belamente um ministério que imita a Cristo para aqueles que são frequentemente negligenciados ou mesmo esquecidos. Meu amigo Steve é um ótimo pastor e, na minha opinião, o líder certo para sua igreja.

Mas há algo que preciso lhe contar acerca dele. Ao longo dos anos, Steve teve dificuldade em crer nisso a seu respeito. Muitas vezes, questionou-se se tinha as habilidades necessárias para ser um líder de igreja eficaz.

Steve começou a vida ministerial em uma das igrejas mais influentes e de crescimento mais acelerado do país. A congregação era liderada por um pastor dinâmico, que é também um dos melhores amigos de Steve. Ele serviu fielmente sob a liderança desse pastor e agregou tremendo valor à igreja durante um período de crescimento explosivo. Foi um colaborador crucial e um aliado no ministério.

Ainda assim, silenciosamente, lá dentro de sua mente, Steve se perguntava se tinha a "configuração" adequada para ser tão eficiente quanto seu amigo, o pastor titular. Veja bem, Steve ama se conectar com os outros, ajudar os sofredores e servir de maneiras que, com frequência, ninguém mais enxerga. É uma das pessoas mais genuínas, cheias de graça e despretensiosas que já conheci no ministério.

Mas o amigo de Steve — vamos chamá-lo de Chris — é um líder ousado, com fortes instintos estratégicos e presença pessoal carismática. É muito bom no que faz, e a igreja tem colhido os benefícios de seus dons poderosos. Aliás, a igreja cresceu rapidamente, ganhando atenção nacional e definindo o ritmo para outras congregações.

Todos os sucessos da igreja e toda a atenção que o pastor recebeu deixaram em Steve uma dúvida persistente: Sou preparado para esse tipo de liderança? Tenho a personalidade certa para dirigir um ministério vibrante como esse?

Talvez você já tenha passado por isso. Acontece com muitos pastores. A dificuldade de Steve para crer em si mesmo é comum entre pastores e líderes de igreja. E o motivo é: *É tentador presumir que é a personalidade que torna você um bom pastor ou um líder eficaz.*

Infelizmente, nossa cultura reforça esse jeito de pensar. Com frequência, comentamos sobre indivíduos que são líderes "natos" ou elogiamos quem tem personalidade "forte" de liderança. Mas isso subentende algo terrivelmente enganoso acerca da liderança: que ser um líder de sucesso depende de ter a personalidade *certa*.

Já percebi que muitos pastores e algumas congregações sucumbem a essa forma errônea de pensar sobre a liderança — em detrimento próprio. As consequências desse jeito de pensar são terríveis. Define expectativas erradas acerca da liderança e acaba transformando em ídolo o que deveria ser servo — sua personalidade.

Já aconselhei um número excessivo de pastores que não acreditam possuir uma personalidade "cativante" e ficam se sentindo empacados e desanimados. Já vi congregações demais idealizarem determinada visão do que é liderança, somente para promover expectativas falsas em relação a seus pastores de tal forma que os deixa ansiosos, se esforçando ao máximo, e sem sucesso, para se encaixar em um "ideal".

Pior ainda, já vi pastores demais deixarem o ministério porque se convenceram de que não têm a personalidade certa para cuidar do rebanho. "Não fui feito para isso", dizem.

Quando, porém, o Eneagrama entra na igreja, aprendemos o seguinte sobre liderança: não existe uma personalidade "certa" para liderar. Na verdade, todos os nove tipos de personalidade do Eneagrama podem ser pastores eficazes e líderes excelentes.

O que faz um bom líder não é *ter* um tipo específico de personalidade, mas *entender* a diversidade dos tipos de personalidade — o seu e o das pessoas a quem você foi chamado para liderar.

Em poucas palavras, para ser um bom líder, é preciso conhecer as pessoas.

O que torna alguém um líder?

Em 1998, alguns anos depois de lançar a revolucionária obra *Inteligência emocional*, Daniel Goleman publicou um artigo esclarecedor na revista *Harvard Business Review*, intitulado "O que torna alguém um líder?". Nesse artigo, Goleman se baseou em uma pesquisa ampla que havia realizado em quase duzentas das maiores empresas do mundo. Queria responder a essa pergunta de importância vital não só para o mundo corporativo, mas também para as igrejas.

Suas descobertas foram fascinantes. Goleman percebeu que as características tradicionais que associamos a uma liderança de excelência — como QI, capacidade visionária e trabalho duro —, embora necessárias, não bastam para uma liderança eficaz. É preciso algo mais. E esse algo mais é a *inteligência emocional*.

Conforme Goleman destaca, é curioso notar que pessoas inteligentes e competentes ainda assim possam ser líderes ineficazes. Formar-se com as melhores notas da turma não garante que você será um líder de sucesso. Ter o currículo mais impressionante não faz de você um líder eficaz. Aliás, pessoas muito inteligentes e habilidosas podem ser, e às vezes são, péssimos líderes.

Mas Goleman também observa que uma boa liderança não diz respeito a ter o tipo "certo" de personalidade. Ele afirma: "No fim das contas, o estilo pessoal de liderança varia imensamente. Alguns líderes são comedidos e analíticos. Outros proclamam seus manifestos em alta voz para quem quiser ouvir".[1] Em vez disso, o marco do líder eficaz é o seguinte: eles trazem inteligência a suas emoções.

Os líderes de excelência possuem alto grau daquilo que Goleman denomina "inteligência emocional", que ele define por meio de cinco características:

1. Autoconsciência
2. Autorregulação

3. Motivação
4. Empatia
5. Aptidão social

Embora essas habilidades mais "delicadas" às vezes sejam menosprezadas nos círculos de liderança, são inestimáveis para o sucesso em qualquer ambiente de trabalho, seja na Microsoft ou em seu ministério jovem local. Aliás, Goleman afirma que são os *ingredientes essenciais* para a liderança.

Podemos resumir as cinco características da inteligência emocional elencadas por Goleman a duas: *autoconsciência* e *consciência do outro*. Ou, de forma mais sucinta, é possível afirmar que a boa liderança diz respeito a *conhecer as pessoas — a si mesmo e aos outros*. Esse é o segredo.

Permita-me explicar da seguinte maneira. Líderes eficazes entendem a própria vida interior, ou seja, as próprias emoções, as reações emocionais às situações e as motivações por trás das decisões. Mas também têm um "instinto" em relação à vida interior dos outros: suas emoções, suas reações emocionais às situações e suas motivações por trás das decisões. Compreendem como as outras pessoas funcionam.

É claro que conhecimento, experiência e habilidade técnica continuam a ser importantes. Mas são aquilo que Goleman denomina "capacidades iniciais".[2] São os requisitos básicos para uma boa liderança.

Quem possui essas capacidades iniciais pode se *qualificar* para uma posição de liderança. Possuindo apenas essas, porém, você não se tornará um líder de sucesso. A liderança eficaz depende de algo mais. Ela provém da capacidade de se autorregular com eficácia (por meio de uma autoconsciência aguçada), ao mesmo tempo que se interage de forma empática com os outros (por meio de uma consciência aguçada acerca do outro).

Agora a boa notícia. É possível apreender inteligência emocional. Podemos desenvolver a habilidade de conhecer a nós mesmos e aos outros. Não é um processo fácil, mas pode ser realizado.

É nesse ponto que o Eneagrama pode ajudar.

O Eneagrama é uma ferramenta singularmente útil para cultivar mais autoconsciência e consciência do outro, pois inicia com este fato único: minha maneira de enxergar o mundo não é a única, nem a melhor forma de ver o mundo.

Existem, na verdade, *nove* jeitos diferentes de ver o mundo, nove jeitos diferentes de transitar pela vida, pelo trabalho e pelos relacionamentos. Nenhum deles é melhor que os outros. Cada um é tão bom quanto todos os outros. No que se refere à liderança, ninguém tem vantagem por causa de sua personalidade. Todas as personalidades possuem vantagens, ao mesmo tempo que todas têm, bem... "espaço para crescimento".

Essa é a genialidade do Eneagrama como ferramenta para desenvolvimento da liderança. Você crescerá em autoconhecimento, contanto que cresça no entendimento das outras pessoas. Os dois processos andam lado a lado. Quem menos revela empatia pelo outro certamente ignora a si mesmo. Em contrapartida, quem revela ter consciência do outro, habilidade social e capacidade de demonstrar empatia genuína, também possui autoconsciência profunda.

Pouco tempo atrás, fiquei sabendo de uma igreja bem conhecida que estava em busca de um novo pastor titular. Essa igreja tem um ministério vibrante há mais de duzentos anos e está localizada no coração de uma das principais cidades do país. Tem sido liderada por uma sucessão notável de pastores, alguns deles líderes evangélicos de grande destaque nos séculos 19 e 20. É claro que esse passado pomposo me fez indagar quem seria digno de um chamado pastoral e desafio de liderança tão intimidadores.

A igreja havia criado um perfil do pastor titular descrevendo as qualidades que buscavam no próximo líder ministerial. Já li muitos desses documentos ao longo dos anos e posso afirmar que, em geral, são tão ambiciosos quanto ao que procuram em um "candidato ideal" que fica difícil imaginar se o próprio Jesus se adequaria ao cargo. Por outro lado, há perfis tão insossos e desinteressantes que é de se perguntar como a igreja conseguirá atrair qualquer um a ela.

No entanto, o perfil que essa igreja criou era diferente. De fato, citava uma característica em particular que chamou minha atenção. Estavam em busca de um pastor titular que proporcionasse uma "gestão perspicaz e cuidadora". Que palavreado ao mesmo tempo simples e extraordinário!

Conforme qualquer líder experiente será capaz de lhe dizer, encontrar alguém capaz de desempenhar uma gestão perspicaz e cuidadora é mais fácil no papel do que na prática. E não perca de vista a ordem das palavras — primeiro *perspicaz* e depois *cuidadora*. A informação vem antes do cuidado; a sabedoria, antes da boa liderança.

Para cuidar de nossos colegas e nossas congregações, buscamos informações a respeito da vida deles. Fazemos coisas simples, como lembrar o nome, a data de aniversário ou outras ocasiões especiais. Ainda mais importante, fazemos coisas significativas, como entender quem são e como lidam com o trabalho e o mundo. Aprendemos sobre o que amam, o que os empolga, os que os motiva.

E, ao fazer isso, expressamos cuidado. Demonstramos que *conhecemos* as pessoas que lideramos — e que as *amamos*. É isso o que é uma gestão perspicaz e cuidadora, e essa é a chave da boa liderança.

Jonathan Edwards poderia ter usado o Eneagrama

Sei que nem todo mundo é chegado em Jonathan Edwards. Para começo de conversa, ele é um cara branco que já morreu. Também foi puritano, calvinista *calvinista* e pregador do mal afamado sermão "Pecadores nas mãos de um Deus irado", o único que adolescentes impressionáveis precisam ler no ensino médio — uma apresentação não muito elogiosa do homem que é amplamente considerado o maior filósofo e teólogo dos Estados Unidos.

Sempre amei Jonathan Edwards. É como um amigo de longa data. Considero seus escritos convincentes, sua visão de Deus cativante, sua vida e ministério exemplares de inúmeras maneiras.

Ao longo dos anos, já tive muitos encontros transformadores com Jonathan Edwards bem cedinho de manhã, debruçando-me sobre *Afeições religiosas*, *O fim para o qual Deus criou o mundo* ou *Uma luz divina e sobrenatural*. Seus escritos se revelam consistentemente as obras que mais aquecem meu coração e expandem minha mente, em comparação com qualquer outro autor cristão que eu já tenha lido.

No entanto, há algo que sempre me incomodou na história de Jonathan Edwards. Esse teólogo gigante e pastor exemplar, se você quer saber, foi *demitido* de sua igreja.

Sim, isso mesmo.

Sua congregação votou para dispensá-lo da posição ministerial, após nada mais nada menos que dezessete anos de serviço corajoso e fiel. Dá para imaginar?

Talvez você esteja se perguntando: *Como é que isso foi acontecer?*

Antes, porém, de chegarmos a essa pergunta, paremos um pouco para analisar quem Jonathan Edwards foi como pessoa, pastor e líder. Claro que nossa habilidade para descobrir essas coisas é limitada, já que ele viveu há mais de duzentos anos.

Mas seu biógrafo, o premiado historiador George Marsden, que confessa ter passado "inúmeras horas com Edwards", apresenta uma perspectiva bem informada e bastante franca acerca de sua pessoa.

> Percebo que ele foi um homem de imensa integridade pessoal. Era intensamente piedoso e disciplinado. Isso era admirável, mas, ao mesmo tempo, intimidante para as pessoas de fé religiosa mais corriqueira. Sua intensidade implacável o levava a seguir a lógica de sua fé até as conclusões mais drásticas. A seriedade de sua postura não fazia dele companhia fácil para um conhecido casual, muito embora provavelmente fosse alguém fascinante para conversar sobre assuntos que o interessavam. Sua destreza lógica o tornava extremamente seguro das próprias opiniões, às vezes dado ao orgulho, ao excesso de confiança, à falta de tato e à incapacidade de dar crédito a opiniões contrárias. Ao mesmo tempo, porém, muitas vezes se conscientizava do próprio orgulho e tentava constantemente — e, ao que tudo indica, em várias ocasiões conseguia — dominar seu espírito arrogante e cultivar virtudes cristãs como a mansidão, a humildade e a caridade. Como era comum no século 18, era autoritário, mas também extremamente cuidadoso. Era muito amado pelas pessoas mais próximas. Seus adversários o achavam indiferente, intolerante e teimoso. Por um tempo, ganhou o coração de quase todos em sua congregação de Northampton. Então os perdeu novamente em uma disputa amarga, como em uma briga de ex-apaixonados.[3]

Depois de ler essa descrição, permita-me perguntar algo: Qual era o tipo de Jonathan Edwards no Eneagrama?

Com base na interpretação de Marsden, seríamos levados a concluir que Edwards sem dúvida foi tipo Um, um perfeccionista.

Conheço várias pessoas tipo Um, inclusive alguns pastores, e todos têm um perfil semelhante. São pessoas extremamente íntegras, trabalhadoras, piedosas, inteligentes e intensas. Amam os outros profundamente, mas não têm muita paciência com os insensatos.

Esse é seu desafio, pelo menos no que diz respeito a trabalhar com pessoas. Esse era o desafio de Jonathan Edwards. Seu ponto forte era também seu ponto fraco. E isso pode muito bem ter lhe custado o pastorado.

Marsden explica que Edwards tinha "alguns defeitos trágicos que contribuíram para seu fracasso em Northampton". Quais eram eles e por que levaram a sua demissão?

De acordo com Marsden, "Edwards era um perfeccionista, com ferramentas insuficientes para lidar com as imperfeições nos outros". E acrescenta: "Talvez a maior tragédia para Edwards tenha sido o fato de seu pastorado causar ruídos por causa de seu compromisso com os princípios".[4]

Parece familiar?

É isso que você poderia chamar de lado sombrio do tipo Um do Eneagrama.

É claro que cada tipo do Eneagrama tem seu lado sombrio. Não importa qual é seu tipo de personalidade, pode ter certeza de que você tem um lado sombrio. Sou tipo Oito e afirmo com toda convicção que há um lado sombrio para o Oito. Se eu não tomar cuidado, posso acabar deixando o poder de minha personalidade passar por cima dos outros e forçá-los a uma submissão relutante. As coisas não dão certo quando isso acontece.

O segredo é o autogerenciamento, com base na autoconsciência e fluindo dela (tudo isso, é claro, com o poder que vem da graça de Deus). Como é tentador presumir que seu jeito de ver o mundo é o certo (sobretudo para quem é Um, como Edwards!). Se esse for o caso, assim como Marsden afirmou acerca de Edwards, você terá muita dificuldade de encontrar ferramentas para lidar com o jeito como os outros enxergam e abordam o mundo. Em suma, haverá frustração e conflito.

Talvez isso não aconteça porque você não consegue tolerar a falta de perfeição nos outros, como era o caso de Edwards, o Um. Se você for Cinco, pode ser porque as pessoas não refletem direito; se for Dois, pode ser porque não se mostram gentis e compassivas; ou, se for Sete, pode ser por serem totalmente desprovidas de alegria e entusiasmo pela vida. Você entendeu.

Eis um exercício mental interessante. E se Jonathan Edwards conhecesse o Eneagrama? Como sua vida e seu ministério teriam sido diferentes? Talvez ele nunca tivesse deixado o ministério em Northampton. Quem sabe?

O importante é o seguinte. Assim como Edwards poderia ter usado o Eneagrama, você e eu podemos. Precisamos da ajuda do Eneagrama para nos tornar líderes mais autoconscientes e com maior inteligência emocional. Não queremos ter as mesmas dificuldades que ele, e ninguém quer ser demitido da função ministerial que ocupa por não conseguir lidar com a forma como as outras pessoas enxergam o mundo.

O elevador do Eneagrama para a Liderança Nível 5

Jim Collins é escritor de vários sucessos de venda sobre liderança e empresas. Sou grande fã de seu clássico *Empresas feitas para vencer: Por que algumas empresas alcançam a excelência... e outras não*. Não é um livro cristão. Mas muitos de seus conceitos são iminentemente cristãos.

Collins compreende de forma profunda o que faz as organizações prosperarem no longo prazo, com base em sua pesquisa acadêmica abrangente. Aprender com as reflexões de alguém como Collins é o tipo de coisa com a qual todos os cristãos deveriam se importar, ainda mais pastores e outros líderes cristãos.

O que mais me chama atenção em *Empresas feitas para vencer* é o conceito de liderança expresso por Collins. Aliás, sua definição de liderança talvez seja a mais cristã e até mesmo mais semelhante a Jesus que você encontrará em qualquer livro secular sobre negócios.

Collins a chama de "Liderança Nível 5". As empresas que alcançam a excelência e mantêm períodos prolongados de desempenho excepcional são dirigidas por esses líderes nível 5. Trata-se de um tipo diferente de líder e um tipo diferente de liderança do que normalmente associamos a empresas lucrativas de alto impacto.[5]

Para Collins, a Liderança Nível 5 não diz respeito a um CEO de personalidade forte, que segue o modelo de liderança que ele descreve como "o gênio com mil ajudantes". Em vez disso, explica que os líderes nível 5 revelam "uma mistura paradoxal de humildade pessoal e vontade profissional".[6]

Uma liderança de excelência, que leva a um desempenho organizacional de alto nível, não diz respeito a usar a organização como plataforma para os dons do líder extraordinário. Em vez disso, tem a ver com força de vontade e humildade no coração para se comprometer com o sucesso da organização. Isso é liderança de excelência.

Todos conhecemos líderes que fazem tudo girar em torno deles. Em geral, são muito capazes, mas parecem não conseguir ir além de si mesmos. Falta-lhes um ingrediente essencial: a *humildade.*

O Eneagrama fortalece sua liderança — seja você tipo Um, Seis ou Dois — ajudando-o a cultivar humildade pessoal. Quando você entende quem é e como os outros são diferentes de você, esse entendimento lhe possibilita fazer que as coisas girem menos a seu redor e mais ao redor dos outros. O interessante é que o crescimento da autoconsciência reduz a tentação de se colocar no centro das coisas.

Meu amigo Gerald Hiestand e eu trabalhamos juntos há anos. Fundamos em parceria uma organização sem fins lucrativos há quase quinze anos e a colideramos ao longo de todo esse tempo. Também servimos juntos na mesma igreja por oito anos. Alguns anos atrás, eu assumi a presidência da organização e Gerald assumiu minha função de pastor titular da igreja. Nem preciso dizer que nossa vida está intimamente entrelaçada. Provavelmente saberíamos terminar as frases um do outro.

Gerald e eu temos personalidades bem diferentes. Ele é um Nove clássico: diplomático, paciente, constante, abnegado, reflexivo e capaz de enxergar todos os lados de um argumento ou uma questão. Já eu sou Oito de carteirinha: otimista, assertivo, ousado, sempre cheio de energia e, por vezes, inconsequente.

Não há dúvida de que somos líderes bem diferentes. Ele é paciente, deliberado e constrói consenso, ao passo que eu sou assertivo, tomo as decisões por instinto e amo convencer os outros do meu ponto de vista.

Alguns podem afirmar que, por ser Oito, tenho uma personalidade mais adequada para a liderança. Não é difícil para mim encher o ambiente com a força de minha personalidade.

Isso é mais complicado para Gerald, levando em conta que ele é tipo Nove. Mas Gerald traz para a liderança dons potentes de personalidade que eu não possuo e que o têm ajudado a sobressair como pastor e líder, em aspectos que, para mim, são particularmente desafiadores. Assim, o estilo de liderança dele não é menos eficaz que o meu, nem vice-versa. É apenas diferente, com pontos fortes e fracos distintos.

A lição é a seguinte. Bons líderes e pastores eficazes não possuem necessariamente determinado tipo de personalidade. Nem sempre são os mais assertivos os que dominam o ambiente, nem sempre são os mais enérgicos os que inspiram os outros, nem sempre são os mais sensíveis os que se importam profundamente com os sobrecarregados e feridos.

Sem dúvida, cada tipo de personalidade pode ser útil na liderança. Mas não é, de forma alguma, essencial para uma boa liderança. Aliás, sempre que imaginamos ter a personalidade certa para liderar, tendemos a perder de vista a qualidade mais importante: a humildade.

Você pode começar a pensar que tem direito à liderança por causa de sua personalidade, em vez de enxergá-la como um dom, algo que você administra e executa com humildade pela graça de Deus.

Liberte o ministério da síndrome do sucesso

Por que é tão fácil permitir que a personalidade alheia se transforme no padrão de ouro para nós? A maioria dos pastores e líderes que eu conheço sofre com isso. Precisam lutar para ser eles mesmos e para resistir à tentação de simplesmente imitar alguém.

Por dois anos, fui pastor universitário de uma igreja conhecida e influente, com um pastor ainda mais conhecido e influente. Ele pastoreava essa congregação havia mais de duas décadas e era excelente no que fazia: pregar, ensinar, liderar, definir uma visão, orar. Foi uma emoção trabalhar com um pastor tão espiritual e talentoso.

Mas algo interessante aconteceu. Logo comecei (de maneira não intencional) a copiar esse pastor em todos os aspectos. Passei a gesticular como ele, a usar a mesma entonação, a orar recorrendo a expressões semelhantes. Eu faria uma boa imitação dele sem sequer tentar!

Anos depois, eu era membro da equipe ministerial de outra igreja grande e influente, com outro pastor e pregador de renome. E você não vai acreditar: aconteceu novamente. Por exemplo, o pastor tinha o hábito de levar seus sermões para o púlpito em uma pequena pasta preta. Logo eu também comprei uma pastinha preta e passei a fazer o mesmo.

Dizem que a imitação é a forma mais sincera de elogio e, sem dúvida, é verdade. Mas também pode mascarar o fato de que você está tentando, de maneira consciente ou subconsciente, *ser* outra pessoa. É muito fácil isso acontecer. Somos projetados para copiar quem admiramos. Se você já acompanhou de perto o ministério de outro pastor, sabe do que estou falando.

E embora seja assim que aprendemos, pode se tornar problemático. Pior ainda, pode atrapalhar sua capacidade de ser *você mesmo.*

O pastor que levava a pasta preta para o púlpito e que eu resolvi imitar era R. Kent Hughes, pastor sênior emérito da College Church em Wheaton, Illinois. O pastor Hughes obviamente não estava em busca do elogio que vem na forma de imitação. Queria que fôssemos nós mesmos, não pequenos clones dele. "Vocês precisam ser vocês mesmos", aconselhava com frequência a seus jovens aprendizes e pastores.

Kent aprendeu essa lição da maneira mais difícil. No início de seu ministério, assim como meu amigo Steve, ele sofreu com inseguranças ligadas a seu estilo de liderança. Ele não era carismático ou chamativo como alguns dos outros pastores que conhecia. Tampouco tinha uma personalidade desencanada e divertida. Kent era determinado, articulado, disciplinado e cumpridor de seus deveres. (Tenho quase certeza de que, assim como Gerald, ele é tipo Nove no Eneagrama!)

Com o tempo, Kent passou a apreciar tudo que Deus *o* criou para ser. E isso foi incrivelmente libertador para ele, bem como uma tremenda bênção para milhares de outros que foram liderados por Kent ao longo de quarenta anos de ministério.

Ele relata essa jornada em seu livro *Libertando o ministério da síndrome do sucesso*. É um dos meus preferidos sobre o ministério pastoral. É um livro tão útil, com uma mensagem poderosa, porque não há nada mais desolador para a liderança do que tentar ser outra pessoa.

Preste atenção. *O Eneagrama ajuda a libertar seu ministério da síndrome do sucesso.*

É tentador imitar alguns dos líderes de maior visibilidade que conhecemos. É fácil procurar imitar o estilo de liderança deles e nos apropriar como se fosse nosso. Ao mesmo tempo, isso pode ser mortal.

Por favor, não tente assumir a personalidade de, digamos, Rick Warren, Andy Stanley, Erwin McManus ou Nadia Bolz--Weber, sobretudo se sua personalidade não for parecida com a deles. Caso o faça, a única pessoa que você enganará será você mesmo.

Sempre nos sentimos tentados a definir sucesso de acordo com as realizações dos outros. De acordo com o Eneagrama, porém, sucesso é *integridade dentro do seu número*. É crescer em sua personalidade singular. De fato, é ir em busca de crescimento de maneira saudável, a fim de que sua personalidade seja *menos definidora* com o passar do tempo, não mais.

Você lidera com integridade e dá frutos no ministério não quando age como papagaio, repetindo um de seus heróis do ministério, mas quando habita com alegria a própria personalidade.

Sucesso na liderança é tão somente ser você mesmo — para a glória de Deus. Sim, é uma verdade extraordinariamente simples. É também incrivelmente libertadora.

5

Pregação

A verdade por meio da personalidade

Eu havia acabado de pregar um sermão, a meu ver, muito instigante sobre Filipenses 3, no qual o apóstolo Paulo, conforme você deve se lembrar, renuncia a seu estilo de vida anterior no judaísmo e considera tudo "menos que lixo" a fim de poder "ganhar a Cristo" (v. 8). Enfatizei a ideia de que nós, seres humanos, sempre somos tentados a confiar em nosso desempenho e encontrar nosso valor pessoal em conquistas, não em Cristo. Foi um tema de sermão bastante comum e direto.

Como de costume, após o sermão desci da plataforma, proferi a bênção e me preparei para cumprimentar os membros durante a saída do templo e orar com quem precisasse.

Passaram-se quinze minutos, a congregação esvaziou um pouco e uma mulher que eu conhecia bem se apressou até a frente do santuário para falar comigo. Ela é terapeuta profissional e também está familiarizada com o Eneagrama. Estampava um sorriso no rosto e uma expressão no olhar de alguém que tinha algo importante a me dizer.

— Aquele sermão foi para as pessoas tipo Três! — exclamou entusiasmada.

Ela quis dizer, é claro, que era um sermão destinado para o Três do Eneagrama, o realizador ou conquistador.

— Sério? — perguntei, enquanto dedicava um instante para processar o comentário antes de responder.

— Sim, com certeza! — ela respondeu confiante.

— Acho que você está certa — concordei. — Mas preciso lhe contar, Amy, que, enquanto preparava o sermão, esse pensamento nem passou por minha cabeça.

Ela ficou surpresa. E eu também.

Como eu não percebi uma conexão tão óbvia entre minha pregação e o Eneagrama? De algum modo, isso aconteceu. Eu havia simplesmente presumido que estava pregando a passagem de maneira fiel às Escrituras e útil para as pessoas. Em meu preparo, o Eneagrama não havia feito parte de nenhuma das etapas.

Nos dias seguintes, não consegui tirar da cabeça a observação daquela irmã. *Um sermão para o Três.* Que comentário fascinante e revelador! Talvez haja mais conexões entre o Eneagrama e a pregação do que eu havia pensado.

O comentário dela também me levou a pensar em mim *como pregador.* E fiquei refletindo sobre o ato de *pregar* e o ato de *ouvir* a pregação. Também pensei em como a personalidade impacta o jeito tanto de pregar quanto de ouvir as pregações.

Embora eu seja Oito, não Três, tenho certas tendências do tipo Três. Assim como o Três, sou focado em ter sucesso e instintivamente sinto a necessidade de realizar cada vez mais.

A mulher que comentou sobre meu sermão não é tipo Três, mas Dois. É claro que ela apreciou o apelo de meu sermão, mas confessou que sua luta está menos ligada a encontrar o próprio valor no desempenho, e mais a aceitar a verdade de que Deus a ama simplesmente por quem ela é em Cristo. Não é de espantar que sua dificuldade mais profunda esteja intimamente ligada a seu tipo de personalidade — que é Dois, não Três.

Não posso deixar de comentar que várias pessoas tipo

Três vieram falar comigo depois. Sentiram-se impulsionadas positivamente pelo ímpeto do texto bíblico e a urgência da mensagem. "Pastor, isso realmente falou a meu coração", comentaram. "Você acertou em cheio hoje!"

Mas me perguntei como os outros *oito* tipos de personalidade reagiram à mensagem. O que as pessoas tipo Nove, Cinco ou Um pensaram? Eles não se revestem com tanta facilidade da própria performance. Seus desafios íntimos dizem respeito a outras coisas. O que fizeram daquele sermão? A mensagem falou a eles ou passou batida?

Ao refletir sobre essa experiência, cheguei a uma conclusão surpreendente: *A verdade das Escrituras sempre é mediada pela personalidade do pregador*. Mas não é só isso. *A pregação sempre é recebida à luz da personalidade do ouvinte.*

Em outras palavras, a pregação é inescapavelmente moldada pela *personalidade* do pregador. Mas o mesmo se dá com a *recepção* da pregação. Isso não é necessariamente um problema. É o jeito de Deus de se comunicar com seu povo. Ele usa seres humanos.

Mas pode se tornar um problema caso o pregador não tenha consciência da influência de sua personalidade na pregação, ou quando é insensível em relação à maneira como os outros tipos de personalidade ouvirão e processarão o que o pregador está dizendo.

Ao refletir sobre essas questões, ficou claro que o Eneagrama deve sim entrar na igreja, sobretudo para me ajudar, como pregador, a falar de maneira mais eficaz a minha congregação como um todo.

Definição clássica de pregação

Phillips Brooks, pastor da Trinity Church em Boston, foi um dos pregadores mais influentes do final do século 19. Por isso, não foi surpresa para ninguém quando recebeu o convite de realizar as prestigiosas palestras Beecher sobre pregação na Universidade Yale. Isso aconteceu em 1877.

Durante essa série de palestras, Brooks desenvolveu aquilo que se tornou, desde então, uma definição clássica do que é pregação e que já foi repetida em inúmeros manuais de pregação e livros de referência em homilética.

Ele explicou que a pregação é formada por dois elementos essenciais: o primeiro é a verdade e o segundo, a personalidade. Afirmou: "É impossível deixar de fora um dos dois e continuar a ser uma pregação".[1]

A verdade gravada na parede ou escrita no céu pode ser útil, mas não é pregação. Se a comunicação da verdade prescinde do elemento pessoal — isto é, da personalidade humana — então pode ser o que for, mas não é pregação.

Para Brooks, se a verdade não for mediada pela personalidade, não é pregação. Ele insistiu nessa ideia: "A verdade deve de fato ser expressa por meio da pessoa, não meramente de seus lábios, de seu entendimento ou de sua pena".[2]

Daí vem a definição clássica de pregação: *verdade por meio da personalidade*.

De acordo com Brooks, porém, o que é personalidade? A pessoa inteira — o que ela pensa, sente e faz. Refere-se ao caráter, às emoções e ao intelecto. É a soma de quem ela é, o cerne do que a torna aquele ser *específico*. Isso é personalidade. E para a pregação ser pregação, Brooks argumenta que a verdade "deve vir genuinamente por meio dela".[3]

Realizei meu primeiro estágio pastoral quando estava no segundo ano da faculdade. Eu servia sob a tutela do pastor titular da igreja onde cultuava como estudante. Toda semana, eu me reunia com o pastor e debatia sobre o ministério da pregação. Foi um privilégio imenso para mim, pois ele era não só um pregador proeminente, mas também um pastor espiritual, experiente e amoroso.

Durante o estágio, ouvi pela primeira vez sobre Phillips Brooks e sua célebre definição de pregação. Meu pastor a amava. Ele a citava para mim quase toda vez que nos encontrávamos.

Devo confessar que, na época, eu não consegui apreciar plenamente a utilidade dessa definição de pregação, nem entender por que meu pastor gostava tanto dela. Hoje, porém, uma década depois de me dedicar ao trabalho da pregação, ela ficou bem mais clara, uma vez que os pregadores podem desenvolver uma relação melindrosa com a própria personalidade.

Com isso quero dizer que podem fingir não ter personalidade, ou não ter a personalidade específica que lhe pertence. Talvez se apaixone pelo estilo de pregação de outra pessoa e tente imitá-lo. Ou, quem sabe, recebeu feedbacks negativos de membros de sua congregação que não gostam da personalidade do pastor e prefeririam que ele fosse diferente. Ou o cônjuge perguntou por que ele fala de uma maneira no púlpito e de outra completamente diferente à mesa da cozinha.

Se você é pregador ou ensina com regularidade, suspeito que sabe do que estou falando.

É libertador e empoderador para os pregadores assumir o fato de que possuem um tipo particular de personalidade e que sua personalidade os molda como pregadores. Longe de limitá-lo como pregador, isso os liberta para serem eles mesmos nessa sagrada tarefa.

Ouça: a verdade das Escrituras é transmitida *por meio da* personalidade do pregador — quer ele reconheça isso, quer não. Não há outra opção. Foi Deus quem fez assim. Gostemos ou não, isso não muda o fato fundamental de que a pregação é transmitida por meio do pregador.

É por isso que os pregadores devem dar as boas-vindas ao Eneagrama na igreja. Quando aceitam a sabedoria do Eneagrama, são relembrados desse fato básico de sua experiência na pregação.

Isso não é uma má, e sim uma boa notícia!

Você, pregador, é livre para ser quem Deus mandou que você seja. Não precisa ser ninguém além de quem você é. Aliás, é exatamente assim que Deus escolheu alimentar seu rebanho — não dando fim a sua personalidade, mas mediando sua verdade por meio dela.

Que pensamento mais extraordinário, e que lição de humildade.

Estilo de comunicação: os nove tipos no púlpito

Conforme os pregadores experientes sabem, uma das coisas mais importantes que um pregador deve desenvolver é sua *voz* própria. Não estou me referindo, é claro, aos órgãos físicos que usamos para emitir som. Falo metaforicamente sobre a voz como a maneira de se referir a seu estilo de comunicação ou sua personalidade no púlpito.

Deixe-me fazer uma pergunta. Qual é a diferença gritante entre o pregador experiente e o novato?

A resposta é uma palavra curtinha. *Voz.*

Os pregadores mais velhos e mais experientes têm uma compreensão melhor de quem são — e, o mais importante, de quem não são. Isso faz parte de seu *éthos* como pregadores e parte de sua eficácia.

Não estão tentando ser outra pessoa. Simplesmente são quem são e passaram a se sentir confortáveis com quem são ao longo de anos de dedicação constante ao púlpito.

Sem dúvida, podem sentir o desejo de que tivessem mais habilidades retóricas, uma memória mais aguçada ou um senso de humor mais espirituoso. Mas não é disso que estou falando. Refiro-me à confiança para aceitar por completo quem são como indivíduos e pregadores. Não tentam ser outro alguém.

Passei dois anos servindo sob o ministério de um dos pregadores mais influentes dos Estados Unidos, John Piper. Além de me assentar a cada domingo para ouvi-lo, também participei da equipe de servidores da igreja naquela época. Isso quer dizer que tive a oportunidade de ver John Piper em contextos bem íntimos e pessoais.

Também fui aprendiz no programa de pré-seminário recém-lançado pela igreja na época. Ou seja, junto com alguns outros aprendizes, eu passava duas horas toda segunda-feira com Piper, revisando seus sermões e conversando sobre pregação.

Conforme você já deve imaginar, foram anos formativos, que deixaram em mim uma marca profunda.

Até hoje, muitos anos depois, se você me ouvir pregar, encontrará alguns trejeitos de Piper. São gestos com as mãos, entonação e formas de verbalizar as coisas que, de algum modo, captei de Piper.

Tenho me esforçado, ao longo dos anos, para me tornar eu mesmo como pregador, não uma imitação malfeita dele. Mas a verdade é que, se você prestar bastante atenção em alguém, inevitavelmente irá imitá-lo.

Podemos ver isso em nossos filhos, que copiam nossos gestos, manias e expressões. Vemos isso com cônjuges que, por mais engraçado que isso seja, começam a se parecer cada vez mais um com o outro. (Resistirei à tentação de dizer o mesmo acerca dos cães e seus donos!)

Mas também podemos identificar isso nos pregadores. Quando somos profundamente tocados por um pregador, não conseguimos evitar e acabamos captando um pouco do jeito daquela pessoa de falar. Isso em si não é ruim. Mas pode ser limitante e, em certo sentido, uma distração. Pode afastá-lo de *ser você mesmo*.

É nesse ponto que o Eneagrama é tão útil — sobretudo em nossos dias, nos quais a tecnologia de vídeo nos dá acesso praticamente ilimitado a quase qualquer pregador influente do planeta. Uma rápida busca no Google revela mais pregadores extraordinários (e, sem dúvida, vários outros menos extraordinários) do que você conseguiria assistir ao longo da vida inteira.

Vivemos na era do YouTube, em que é espantosamente fácil, e sempre tentador, imitar o estilo de pregação de outro alguém. É por isso que cada pregador precisa debruçar-se no Eneagrama. Precisa lembrar-se com regularidade de que não há um estilo "certo" de pregação, nem uma personalidade "melhor" para o pregador.

Pregadores também precisam ser incentivados a não passar a vida inteira tentando copiar um pregador famoso de algum outro lugar. Trata-se de uma estratégia derrotada que só o deixará frustrado e inseguro. Além disso, privará os outros do benefício de ouvir a verdade de Deus por meio de sua personalidade única. Não prive os outros da dádiva que é ser você mesmo.

O Eneagrama nos lembra de que cada um dos nove tipos tem um estilo de comunicação peculiar. Cada estilo tem pontos fortes e fracos, e cada um de nós, a despeito do tipo da personalidade, fará bem em crescer em sua autoconsciência de quem é como indivíduo e como pregador. Caso contrário, tenderemos a cair em um desequilíbrio em nossa pregação que minará nossa capacidade de falar a verdade de Deus a seu povo.

Analisemos mais de perto esses nove tipos de pregadores à luz de seus diferentes estilos de comunicação.[4]

Os pregadores **tipo Um** são cuidadosos, detalhistas e diretos em seu estilo de fala. Gostam de estruturar a comunicação em termos de certo e errado, bom ou mau. Tendem a usar palavras como *deveria* mais do que os outros. São os mais determinados em relação a quase tudo na vida, inclusive na pregação e no ensino. Trabalham duro para dizer as coisas "bem certinho". Falar o que der na telha ou improvisar não é sua abordagem preferida.

Sua linguagem corporal reflete essa abordagem metódica e deliberada à comunicação. Tende a falar com postura ereta, olhar focado ou maxilar rígido. Às vezes, pode ser interpretado como nervoso ou tenso. Quando sua personalidade o sobrecarrega, o pregador tipo Um pode ser minucioso demais nos detalhes, o que acabará entediando quem não é Um. E, ao falar sobre algo que ama, pode parecer condescendente, julgador ou impaciente. Quando em equilíbrio, porém, o Um renova a confiança geral com sua integridade profunda e seu compromisso inabalável com a verdade.

Os pregadores **tipo Dois** se comunicam no púlpito com a mesma graça, o mesmo charme e o mesmo interesse genuíno pelos outros que caracteriza todas as suas interações. O Dois é extremamente atinado à emoção do ambiente e pode ser um comunicador inspirador. No entanto, às vezes isso pode acontecer de maneira excessiva, levando-o a resvalar no sentimentalismo e no exagero emocional. O Dois tende a se sentir confortável em frente a um público e se empolgar bastante com a atenção recebida. É, porém, sensível a críticas e busca evitar a rejeição sempre que possível. Por causa disso, o Dois tende a usar de bajulação para encantar a multidão. Em sua melhor condição, porém, é empático e um comunicador eficaz.

Os pregadores **tipo Três** são comunicadores bem articulados, preparados e cativantes. Sua mente aguçada tem facilidade com as palavras. Isso os torna confiantes e confortáveis em frente a uma multidão. O Três pensa e fala de forma concreta, em vez de recorrer a termos abstratos, e quer que toda história tenha uma lição de moral — à qual se deve chegar depressa.

Seu amor à eficiência o torna um pensador lógico e um comunicador organizado. O Três dificilmente divaga ou sai do assunto. Elegante e senhor de si, normalmente bem vestido e arrumado, exala confiança e consegue chamar atenção dos outros com sua aparência impecável e habilidade retórica impressionante.

Assim como o Dois, o Três é bom em detectar o teor emocional de uma situação de fala, ajustando a abordagem a fim de corresponder ao sentimento do ambiente. O lado negativo disso é que sua abordagem pode, às vezes, parecer montada, até mesmo encenada, e isso será interpretado por algumas pessoas como falta de sinceridade ou autenticidade. Contudo, quando o Três se encontra emocionalmente bem integrado e plenamente presente, pode ser um comunicador deslumbrante e um pregador poderoso.

Os pregadores **tipo Quatro** conferem intensidade emocional tremenda à tarefa de comunicar. Além de sentir profundamente as coisas, também desejam transmitir a profundidade plena desses sentimentos aos outros. Dos nove tipos, o Quatro é o comunicador mais autêntico. Gosta de contar histórias e, com frequência, tais histórias revelam algo sobre si: suas lutas contra alguma adversidade, suas reações a um acontecimento doloroso, suas reflexões sobre algo triste ou desconcertante.

O Quatro é também a personalidade que mais fala a respeito de si mesmo. Isso pode ser uma grande vantagem para o pregador. A vulnerabilidade lhe é natural, e transparência não é problema. Todavia, o Quatro precisa tomar cuidado para não se voltar em excesso para si, permitindo que o compartilhamento de sua vida emocional sobrecarregue os ouvintes ou os distraia da mensagem. Quando em equilíbrio, o Quatro tem a habilidade incomparável de destrancar o coração humano e explorar as nuances da personalidade de maneiras absolutamente transformadoras.

Os pregadores **tipo Cinco** são objetivos, factuais e até mesmo filosóficos. Têm grande capacidade de percepção, apreciam insights profundos sobre o mundo e amam refletir sobre ideias grandiosas. Como comunicadores, especializam-se no planejamento e no conteúdo. Isso não quer dizer, porém, que sejam prolixos. Em vez disso, são deliberados na escolha das palavras, comedidos nas emoções e mais estáticos no uso do corpo.

Em geral conciso e ao ponto, o Cinco é contido, reservado e pode até falar com voz monótona. "Brilhante e tedioso" é como alguns podem descrever o Cinco como pregador. Por ser emocionalmente sóbrio e resguardado, pode acabar sendo interpretado como desapegado ou indiferente. Quando se encontra em uma posição desequilibrada, o Cinco talvez pareça o Spock no púlpito. Contudo, quando complementa seu brilhantismo pessoal com cordialidade interpessoal, é capaz não só de instruir, mas também de inspirar os outros.

Os pregadores **tipo Seis** são corteses, amistosos e cheios de energia. Podem parecer, simultaneamente, confiantes e ansiosos. Esse é o dilema do Seis. Seu rosto pode transparecer seu nível de ansiedade em relação a determinado assunto ou situação, com os olhos se mexendo rápida ou até mesmo nervosamente de um lado para o outro, como se estivesse escaneando o ambiente em busca de sinais de perigo.

O Seis é, ao mesmo tempo, verbal e relacional, e isso faz dele um comunicador envolvente. É também inteligente e genuinamente preocupado com os outros, o que o torna incentivador e prático como pastor e pregador. Entretanto, o Seis luta contra a dúvida de si mesmo, o que pode, às vezes, minar sua eficácia como comunicador. Pode acabar se tornando ansioso e até pessimista na abordagem do tema. Em sua melhor condição, porém, o Seis é capaz de elevar o espírito humano por meio de suas reflexões sábias e de seu compromisso abnegado com os outros.

Os pregadores **tipo Sete** são comunicadores espontâneos, rápidos e convincentes. Adoram boas histórias e sentem imensa satisfação em contar piadas no momento certo. O Sete é um pregador com personalidade positiva e animada. Transbordando de energia, fala com o corpo inteiro: expressões faciais, gestos e movimentos. Como tem a mente fértil, sempre repleta de ideias, é capaz de transitar rapidamente entre temas e incorporar novas ideias em rápida sucessão de uma forma que pode parecer aleatória. Para o ouvinte médio (que não é Sete), isso pode ser complicado. Outras pessoas talvez tenham dificuldade de acompanhar o que o Sete está tentando dizer.

O Sete nem sempre é o comunicador mais lógico e consistente. Não tende a ir do ponto A ao B e depois ao C em uma tranquila progressão linear. O que lhe falta em estrutura, porém, compensa com entusiasmo. O Sete nunca é entediante e é sempre divertido; por isso, ouvi-lo pode ser uma verdadeira experiência. E quando está em sua melhor forma, pode se tornar um dos comunicadores mais esclarecedores e vívidos que há por aí.

Os pregadores **tipo Oito** são ousados, imponentes e cheios de autoridade. Sua mente os leva instintivamente para o quadro mais amplo e tendem a pensar de maneira estratégica sobre tudo, inclusive sobre seus sermões. O Oito não aprecia detalhes, nem gosta de se chafurdar no tédio. Usa sua presença física dominante e intensidade para motivar os outros e chamá-los para a ação.

O Oito, ainda mais que o Sete, fala com o corpo inteiro e não tem medo de usar gestos para ajudá-los a transmitir suas ideias — pode aumentar o tom de voz, estufar o peito, endireitar a postura e se impor no espaço pessoal alheio. Às vezes, isso pode parecer impositivo ou intimidador, de um modo que o Oito tem dificuldade de reconhecer.

Mas o Oito não gosta de se sentir vulnerável, um sentimento inevitável durante a pregação. Compensa (mesmo que de maneira subconsciente) esses sentimentos por meio da projeção de confiança e invencibilidade. Contudo, isso acaba ocultando seu maior dom — sua sensibilidade. Quando tranquilo e em equilíbrio, o Oito, ao pregar, dá voz a esse lado mais terno de sua personalidade de forma desarmada, enlevando e capacitando os ouvintes.

Os pregadores **tipo Nove** são comedidos, imparciais e detalhistas. Não são propensos a exageros e trabalham duro para apresentar suas ideias com cuidado e com todas as nuances e qualificações necessárias. Sempre justo e equilibrado, o Nove pode ser um pregador eficaz, que enxerga harmonia em temas não relacionados. É também um comunicador tranquilo, relaxado, que nunca parece estar com pressa, tenso ou ansioso. O lado negativo, porém, é que pode parecer monótono, sem animação e até entediante. Isso se une ao fato de que o Nove tende a se explicar em excesso e até mesmo a se perder em minúcias. O lado bom é que seus ouvintes podem ter a certeza de que ele representará fielmente todos os aspectos de uma questão e evitará caracterizações baratas. Trata-se de um verdadeiro ponto forte em nossa era descuidada e enganosa, podendo deixar os ouvintes bastante seguros de que estão diante de algo sólido.

Estilos de escuta: os nove tipos no banco

Entender seu tipo de personalidade e como ele afeta seu estilo de comunicação no púlpito o ajudará a ser um pregador mais intencional. Há, porém, o outro lado dessa equação: aqueles que ouvem seus sermões! Embora haja apenas um tipo do Eneagrama no púlpito de cada vez, quase sempre haverá os *nove tipos diferentes* do Eneagrama nos bancos.

E assim como seu tipo de personalidade influencia seu estilo de comunicação como pregador, seu tipo de personalidade também influencia seu estilo de *escuta* como ouvinte. Se seu estilo de comunicação é importante para o que sai do púlpito, então o estilo de escuta das pessoas importa para o que acontece no banco.

Os diferentes tipos de personalidade absorvem as informações de forma distinta. Nem todos processamos aquilo que ouvimos da mesma maneira. Notamos coisas diferentes. Presumimos coisas diferentes. Nossa atenção é atraída para coisas diferentes. E levamos nossa personalidade, como um filtro, para o momento da pregação, peneirando e selecionando o que ouvimos de acordo com nossa personalidade. Não se trata de um defeito em nossa constituição que precisamos corrigir; trata-se de um fato da natureza humana que precisamos aceitar e compreender.

PREGAÇÃO • 125

Como esses nove tipos diferentes de escuta se manifestam nos bancos da igreja?

O **Um** ouve as pessoas que ele respeita. Avalia a correção daquilo que foi dito e conclui se é verdadeiro ou falso. Identifica-se com afirmações claras da verdade e valoriza o conteúdo estruturado de maneira que deixe claro quais são os pontos fundamentais.

O **Dois** se identifica com quem transparece graça, receptividade e gentileza. Sintoniza-se com a dinâmica relacional e emocional da comunicação e observa se quem está falando demonstra interesse genuíno por ele. Atende aos convites para servir, contribuir ou agregar valor. Deseja agradar, mesmo como ouvinte.

O **Três** valoriza competência, habilidade e conhecimento especializado. Ouve com atenção quem revela tais qualidades. Atenta para uma comunicação clara e concisa. Gosta de sermões que têm um objetivo e o alcançam. Não aprecia pregadores que perdem tempo fazendo rodeios em uma mensagem que não parece chegar a lugar algum. O Três responde bem a sermões que apresentam metas claras e mensuráveis ou alvos inspiradores pelos quais lutar.

O **Quatro** ouve aqueles que ele considera intrigantes ou interessantes. Sentem profunda sintonia com a autenticidade emocional dos outros. Essa pessoa é verdadeira? É genuína? Acredita no que está dizendo? Por outro lado, desconecta-se de pregadores que acham entediantes, ou, pior ainda, insinceros. E, claro, o Quatro ama honestidade no púlpito. Quanto mais vulnerável, até ousado, melhor.

O **Cinco** aprecia pregadores com conteúdo e reflexão profunda. Respeita o conhecimento. Acha fácil ouvir sermões pontuados por análises, dados e fatos fascinantes. Em

126 • O ENEAGRAMA E A IGREJA

contrapartida, pode se aborrecer com a exuberância emocional e se irritar com sermões de conteúdo leve ou superficial. O Cinco é um ouvinte que presta mais atenção ao conteúdo que ao estilo. No entanto, se você tiver algo interessante da Bíblia para expor ou reflexões teológicas recém-descobertas, encontrará no Cinco um ouvinte bem-disposto.

O **Seis** é bom ouvinte por natureza. É fiel e leal. Tem facilidade para prestar atenção àqueles em que confia, sobretudo se a pessoa estiver em posição de autoridade. Em contrapartida, o Seis tem dificuldade para escutar alguém de cujo caráter ou integridade duvida, ou cujas motivações pareçam suspeitas. Ao ouvir sermões, o Seis tende a pensar em todos os desdobramentos daquilo que o pregador está dizendo — o que poderia acontecer ou o que acarretará no futuro. Identifica-se com sermões claros, tranquilizadores e que o ajudem a compreender o mundo a seu redor.

O **Sete** ouve com alegria qualquer um que mostre entusiasmo em relação ao que está dizendo, ou qualquer um que saiba contar uma história comovente, interessante ou divertida. Uma vez que sua mente é ágil — aliás, tão ágil que se entedia facilmente com sermões sem ritmo — o Sete se identifica com pregadores que transmitem a mensagem com energia e empolgação. Além disso, têm dificuldade de escutar verdades familiares proferidas de maneira desinteressada. "Jesus me ama", embora maravilhosamente verdadeiro, pode não cativar por muito tempo a atenção do Sete. Ele responde bem a uma comunicação dinâmica que inclua movimento físico, mudança regular de voz e gestos grandiosos e cativantes.

O **Oito** ouve pregadores a quem respeita, sobretudo aqueles que considera competentes e poderosos. Não presta atenção a qualquer um que, a seu ver, esteja fingindo ou seja despreparado. O Oito gosta de sermões que prossigam do ponto A para o B com tema claro, forte e tocante. Embora goste de aprender, identifica-se em especial com sermões que o desafiem em seu modo de pensar ou o convidem à ação.

O **Nove** é um ouvinte paciente e afável, que dá ao pregador uma escuta justa, a despeito de sua habilidade retórica. Sente-se confortável com nuances e se identifica com pregadores que abordam múltiplas perspectivas e opiniões alternativas. Em contrapartida, não respondem bem a pregadores autoritários que usam a força da personalidade para transmitir suas ideias. Essa abordagem não costuma funcionar com o Nove, que aprecia saber que o pregador reservou tempo para se preparar, refletiu sobre a opinião dos outros e deixa espaço suficiente para o ouvinte formar a própria posição em relação ao assunto.

Autoconsciente para beneficiar os outros

Agora, permita-me dizer que conhecer os diferentes estilos de comunicação e escuta dos nove tipos de personalidade do Eneagrama não visa sobrecarregar você. Tampouco tem a intenção de transformar a tarefa já desafiadora de pregar em algo impossível! Suspeito que alguns de meus leitores já se sentem afogados na complexidade.

Minha intenção não é essa. Conforme já reiterei ao longo deste livro, nosso objetivo é nos tornarmos mais autoconscientes. Essa é nossa meta, quer sejamos pastores, pregadores, professores da escola dominical ou leigos interessados.

Mas ouça-me com clareza a esse respeito. *A autoconsciência não é um fim em si mesmo. Ela serve para beneficiar os outros.*

Quanto mais autoconsciente você for como pregador, mais capacitado estará para pregar de maneiras que beneficiarão os outros. Desenvolver a autoconsciência é um exercício de amor aos outros. Conhecer-se é fortalecer sua habilidade de satisfazer as necessidades das pessoas em sua vida.

É por isso que é útil ao pregador saber qual é seu tipo no Eneagrama. Também ajuda bastante lembrar que há outros *oito* tipos de personalidade ouvindo sua pregação. Nem todos processam as informações da mesma forma que você. Nem todos respondem a exortações ou incentivos do mesmo jeito. E nem todos gostarão do seu senso de humor, das histórias que você conta, das suas análises ou das mudanças dramáticas de tom de voz e gestos tanto quanto você.

Desenvolver a autoconsciência deveria ser uma prioridade de todo pregador. Os pregadores deveriam separar tempo para se assistir (ou se ouvir) pregando. Mas é preciso tomar um cuidado. *Não permita que o objetivo da autoconsciência se transforme na prisão da auto-obsessão.* Isso não ajudará em nada.

Ainda assim, será de grande ajuda observar seu estilo de comunicação, os padrões nos quais recai como pregador sem nem pensar e as maneiras previsíveis e, talvez, nem sempre úteis de se comunicar.

Melhor ainda: solicite feedback regular de pessoas sábias que o apoiam em sua congregação. Por exemplo, toda segunda-feira, um pastor amigo meu se reúne em uma padaria com um grupo pequeno mas diversificado de membros, para conversar sobre o sermão do dia anterior. Trata-se de uma excelente oportunidade de pedir retorno honesto não só sobre o conteúdo da mensagem, mas também da maneira como ela foi pregada.

Se você fizer algo do tipo, tente reunir à mesa tipos diferentes de personalidade. Isso o ajudará a entender melhor não só como você está se comunicando no púlpito, mas também como é ouvido nos bancos.

Permita-me acrescentar mais um esclarecimento. Não tenho a menor ilusão de que, a cada vez que pregar, você fará uma conferência mental de como seu sermão poderá ou não se conectar com todos os tipos diferentes de personalidades do Eneagrama em sua congregação. Para ser franco, isso se tornaria tão complexo que o deixaria totalmente sobrecarregado.

Em vez disso, quero encorajá-lo a cultivar três hábitos de autoconsciência que aumentarão sua intencionalidade como pregador e o impedirão de pregar no piloto automático. Também o auxiliarão a se tornar um pregador mais equilibrado, para que não recaía em todos os padrões previsíveis de sua personalidade. Melhor ainda: ajudarão você a servir melhor seus ouvintes, levando em conta a diversidade de seus tipos de personalidade.

1. *Reconheça seu padrão de pregação.* Cada pregador tem uma maneira padrão de pregar. É o jeito que você prega quando não está pensando em seu jeito de pregar. É sua zona de conforto ou abordagem preferida, solidificada ao longo do tempo por meio da força do hábito. Sua configuração padrão ao pregar é influenciada em parte por seu contexto, sua educação e suas experiências. A maior parte dela, porém, é resultado de sua personalidade. Sua personalidade molda tudo a sua volta, inclusive seu estilo de comunicação e seu jeito de pregar.

Como consequência, haverá um padrão previsível em suas pregações. Você abordará o conteúdo e a comunicação de um sermão de maneira relativamente consistente e previsível. Caso duvide de que isso se aplica a você, permita-me incentivá-lo a fazer uma experiência divertida. Convide dois ou três adolescentes de sua igreja que tenham bom senso de humor e lhes pergunte se podem imitar você pregando. Suspeito que eles não terão dificuldade de fazer uma encenação bem divertida, estilo *stand-up comedy*, de sua atuação no púlpito. (Já vi algumas encenações bem precisas da minha pessoa no púlpito e renderam boas risadas!)

Encaremos a realidade: somos criaturas de hábitos, inclusive no púlpito. Isso não é algo bom, nem ruim. Apenas é. O ruim é não reconhecer seu estilo de pregação, e o bom é que podemos desenvolver autoconsciência acerca de quem somos como pregadores e de como pregamos — mais uma vez, não como um fim em si mesmo, mas para podermos equilibrar melhor nosso jeito de pregar.

2. Invista em seu Centro Reprimido. Você se lembra do que falamos no capítulo 2 sobre nossa personalidade ser resultado de como unimos pensamentos, sentimentos e ações? Usamos um em excesso, usamos mal o outro e subutilizamos o terceiro. Esse terceiro, o aspecto subutilizado de nossa personalidade, é conhecido como nosso Centro Reprimido. Alguns de nós reprimem os pensamentos, outros os sentimentos e outros ainda as ações. Conforme descrito anteriormente, isso é também é conhecido como sua Postura.

Essa parte importante do ensino do Eneagrama pode ser muito útil para os pregadores. Nosso Centro Reprimido, quer sejam os pensamentos, os sentimentos ou as ações, é a parte de nossa personalidade da qual temos menos consciência e com a qual nos sentimos menos confortáveis. É a maior fácil de ignorar ou negligenciar. Mas é também a parte de nossa personalidade que achamos mais fácil simplesmente deixar acontecer.

Veja o exemplo de minha amiga Michelle, uma pregadora tipo Oito que toma a iniciativa com as ações e reprime os sentimentos. Ela tem uma presença imponente no púlpito. Se não tomar cuidado, porém, pode ter dificuldade para ser sensível aos que sofrem ou para encorajar os mais céticos. Ou pense em meu amigo Steve, tipo Dois, que já mencionei antes. Ele toma a iniciativa com os sentimentos ao mesmo tempo que reprime os pensamentos. Ele terá pouca dificuldade em animar os abatidos. Mas pode achar complicado ajudar outros a compreenderem os elementos mais profundos da fé. Ou considere o caso de meu amigo Tim, um pregador tipo Cinco que toma a iniciativa com os pensamentos, mas reprime as ações. Ele pode ser erudito e interessante, mas talvez tenha dificuldade para ser prático ou relevante.

Cada um desses tipos de pregadores — e dos outros tipos de personalidades — precisa investir em seu Centro Reprimido, trabalhando duro, em atitude de oração, para elevar esse aspecto da personalidade que tende a ignorar ou negligenciar, e fazê-lo no púlpito para o bem de quem os ouve. Isso significa pensar deliberadamente acerca do centro com o qual você está menos familiarizado e que tem mais dificuldade de acessar.

3. *Recalibre seu Centro Primário.* Você também fortalecerá sua pregação se, além de investir no crescimento do Centro Reprimido, também recalibrar seu Centro Primário. Se o Centro Reprimido trata de sua postura no Eneagrama, a calibragem de seu Centro Primário diz respeito a sua Tríade.

Se você faz parte da Tríade do Pensamento, encherá seus sermões de insights, observações, reflexões e histórias. Se pertencer à Tríade do Sentimento, encherá seus sermões de emoção, calor humano, afirmação e incentivo. Caso pertença à Tríade da Ação, encherá seus sermões de exortações, ordens, desafios e aplicações.

Uma vez que essa é a configuração padrão de nossa personalidade, tendemos a *exagerar* nesse aspecto. Posso lhe dizer que, por ser Oito e pregador, precisei aprender, ao longo dos anos, que nem *todo* sermão precisa desafiar a congregação a fazer algo radical ou a pensar em algo revolucionário.

132 • O ENEAGRAMA E A IGREJA

Conforme um colega me disse certa vez: "Todd, para você, todo sermão soa como algo do tipo: 'Ouvistes o que foi dito; eu, Todd, porém, vos digo...'". Esse é meu lado Oito em excesso. Outro colega me disse algo semelhante: "Todd, você nunca prega um sermão simples, que apenas fale sobre como Deus nos ama e Jesus morreu por nós". Mais uma vez, é meu Oito em excesso.

Lembre-se de que, ao pregar, é importante evitar sulcos e rotinas previsíveis que careçam de equilíbrio. Outra forma de expressar isso é que desejamos pregar todo o conselho de Deus, conforme disse Paulo enquanto estava em Éfeso pastoreando a igreja de lá.

Isso significa não só abordar toda a gama de ensinos bíblicos, mas também, creio eu, fazê-lo de maneira que abranja toda a gama de comunicação que encontramos nas Escrituras, seja nosso jeito preferido de falar ou não.

Uma advertência e um lembrete

Nós, pregadores, precisamos nos lembrar do grande insight de Phillips Brooks: pregar é falar a verdade por meio da personalidade. Nada menos que isso. No entanto, embora a verdade por meio da personalidade seja algo de importância vital para os pregadores, é possível entender mal esse equilíbrio. Permita-me encerrar este capítulo com uma palavra gentil de cautela e um lembrete simples.

Primeiro, tome cuidado para não ser aprisionado pela personalidade de outra pessoa. Nunca fui de ouvir muito outros pregadores. Mas tenho amigos que cultivam esse hábito regular, escutando meia dúzia de sermões por podcast toda semana.

Não acho que seja um problema e creio que pode ajudar você a se desenvolver na arte de pregar. Um amigo compara essa escuta de outros pregadores ao *jazzista* que gosta de improvisar com base no talento musical alheio. Não é uma distração, nem um prejuízo para ele, mas, sim, uma ajuda.

No entanto, se você decidir ouvir outros pregadores, em especial pregadores famosos com personalidade bem diferente da sua, faça questão de ouvi-lo como um *jazzista* escutaria outros músicos. Não permita que o estilo de pregação e a voz alheia se transformem em seu grande objetivo. Isso não irá ajudá-lo. Pode ser aprisionador.

Charles Swindoll, escritor premiado, pastor e ex-reitor do Seminário Teológico de Dallas, é amplamente considerado um dos grandes comunicadores de sua geração. Após quatro décadas de pregação, resumiu seus melhores insights em um livro que recebeu o título muito apropriado de *Falando bem.*

Swindoll passou a vida inteira fazendo exatamente isso. Foi marcante para mim o modo como esse homem de experiência tão rica começou seu livro sobre pregação e comunicação. Desde a introdução, ele enfatiza a importância de ser *você mesmo.* Explica que há três elementos essenciais não só para ser você mesmo, como também para a comunicação eficaz.[5]

Conheça a si mesmo.

Aceite-se.

Seja você mesmo.

É um excelente conselho, e o Eneagrama o ajudará a fazer isso.

Segundo, lembre-se de que a verdade sempre tem precedência sobre a personalidade. Assim como Deus tem precedência sobre nós, sua Palavra também assume precedência sobre nossa maneira de apresentá-la. É possível, sobretudo em nossa cultura narcisista, sermos condescendentes *em excesso* como pregadores. Falamos demais de nós mesmos e deixamos nossa personalidade cumprir a tarefa de pregação de maneira que jamais deveria acontecer. Isso seria errado.

Lembro-me de tomar café da manhã com um amigo e colega de ministério. Nós dois éramos pastores associados na mesma igreja. Tínhamos um relacionamento próximo, então ele sentiu liberdade de me dar um feedback bem franco, mas, ao mesmo tempo, construtivo. "Todd", ele começou, "você tem uma personalidade dinâmica e persuasiva. Às vezes, porém, sinto como se você tentasse carregar a mensagem nas costas de sua personalidade."

Ele estava certo. Era mais fácil depender da força de minha personalidade do que dedicar tempo para estudar, me preparar, orar e confiar que a Palavra de Deus realizaria a obra mais importante. É fácil investir demasiadamente na própria personalidade. Essa pode não ser a tentação de todos, mas, sem dúvida, é a de alguns, e com certeza era e continua a ser a minha.

Esse meu colega de ministério é tipo Nove. Fazíamos muitas piadas sobre nossas diferenças e, várias vezes, conversamos sobre como somos diferentes como pregadores. Admiro muito sua forma de abordar a pregação.

"Sei que não consigo cativar uma congregação com minha personalidade", conta. "Em vez disso, tenho a certeza de que preciso ter algo marcante a dizer, algo útil da Palavra de Deus."

Trata-se de uma excelente perspectiva, não só para quem é Nove no Eneagrama, mas para todos. Não importa qual é seu tipo no Eneagrama, não deixe que sua personalidade realize trabalho demasiado.

Prepare-se bem. Ore com fervor. Então, peça a Deus que lhe dê tanto a humildade quanto a confiança de que você precisa para sair da frente e permitir que a verdade flua por meio de sua personalidade — a fim de que toda glória seja dada ao Senhor.

Bryan Chappell, reitor do Seminário Teológico Covenant, escreveu um livro didático popular sobre pregação que é usado em muitos seminários dos Estados Unidos. Está repleto de bons conselhos para pregadores e reflexões profundas para estudantes. Uma vez que Chappell é também um pregador experiente, faz um ótimo trabalho em descrever tanto os desafios quanto as alegrias de pregar.

Sem dúvida, porém, o mais importante que ele diz no livro não está ligado a pregadores ou pregação. Está ligado a Jesus Cristo — ao fato de que Jesus deve estar no centro de nossa pregação e no centro da vida do pregador.

"Nossa pregação", escreve Chappell, "deve refletir a singularidade de nossa personalidade, mas nossa pessoa precisa refletir semelhança a Cristo a fim de que sua mensagem seja anunciada sem impedimentos."[6]

Diante disso, a única coisa que se pode dizer é: *Amém!*

6

Adoração

Onde estiverem nove reunidos em meu nome

A caminho da exposição do submarino U-505 no Museu da Ciência e da Indústria de Chicago, passamos por um corredor cheio de espelhos. Embora essa não seja a principal atração, nossa família se diverte ao olhar para nossos reflexos distorcidos por alguns minutos. O uso de ângulos côncavos e convexos cria alguns reflexos hilários — uma cabeça enorme em cima de um corpo minúsculo ou pernas colossais embaixo de um tronco encolhido. Meus filhos sempre dão boas risadas ao ver a si mesmos e, em especial, o pai, todos distorcidos e deformados.

Rimos porque sabemos que essas imagens não são reais. Se fossem, não teria graça nenhuma. Seria de partir o coração. Não daríamos risada. Em vez disso, lágrimas correriam por nosso rosto. Muitas vezes, não damos valor à bela simetria e proporcionalidade do corpo. Quando vemos uma distorção, como em espelhos deformadores, notamos que um corpo como aquele seria grotesco e irreal, como em uma cena de um filme de terror ou de ficção científica.

Há uma verdade semelhante quando pensamos em nossa condição espiritual. O cristão pode apresentar certo crescimento em uma ou duas das virtudes cristãs, mas carecer de todo o resto. Está espiritualmente desequilibrado. É moralmente manco. Ao analisar de perto a própria vida, verá que não reflete a simetria encontrada na pessoa de Cristo. Em vez disso, encontrará uma figura distorcida.

Temo que existam muitos cristãos mancos enchendo os bancos das igrejas. Mas não é culpa deles. São formados — ou *de*formados — por uma adoração coletiva que carece de equilíbrio. Recebem apenas uma adoração manca, que, por sua vez, gera cristãos igualmente mancos.

É fácil para as igrejas se tornarem assimétricas em sua adoração. Algumas, como costumamos dizer, são "só razão, sem nenhuma emoção". Têm conteúdo, mas zero sentimento. Contam com ensinos sólidos, mas carecem de vida. Tudo no culto é feito "com decência e ordem" (1Co 14.40), mas muito pouco mexe na alma. O sermão, sem dúvida, é exegeticamente sólido e teologicamente sagaz. Todos os hinos são entoados a quatro vozes. Mas não dá para garantir que o pregador está emocionalmente envolvido ao falar, nem que a congregação estabeleceu uma conexão pessoal com o que está cantando. Há um compromisso claro com a doutrina e a ética, mas pouca sensação de alegria e deslumbramento.

Em contrapartida, há igrejas que são só emoção e nenhuma razão. O culto é extraordinário: a música é envolvente; o sermão é aplicável, caloroso e divertido; as pessoas são amistosas e você sai da igreja se sentindo muito, muito bem. Mas não tem certeza se foi provocado nos pensamentos ou desafiado em seu estilo de vida. Em vez disso, foi lembrado do que já sabe ou, pior ainda, recebeu de bandeja alguns clichês que parecem ótimos como adesivos para grudar no para-choque do carro, mas não consistem em alimento sólido para a vida cristã.

Há ainda um terceiro tipo de igreja assimétrica que merece ser mencionado. É a congregação que é só forma, sem razão, nem emoção. O culto é cuidadosamente planejado e o cenário também parece organizado nos mínimos detalhes: vitrais coloridos, bancos de madeira, fileiras de velas, becas sofisticadas, orações grandiosas e um programa de culto impresso em várias páginas, com leitura de trechos longos da Bíblia, terminologia em latim e citações de padres do deserto, que já morreram há séculos. É simples e sofisticado ao mesmo tempo. No entanto, você fica se perguntando se alguém realmente *acredita* no que é dito — ou *ama* o que é dito. Aliás, você se preocupa se tudo aquilo não se tornou uma rotina tão grande que as pessoas apenas a cumprem de maneira mecânica.

É por isso que necessitamos do Eneagrama na igreja. Aliás, é por isso que devemos dar boas-vindas ao Eneagrama no *culto* propriamente dito. Quando o fazemos, recebemos lentes novas que nos ajudam a enxergar o que acontece em nossos encontros públicos.

O Eneagrama, conforme você deve se lembrar com base nos capítulos anteriores, nos alerta quanto ao fato de que cada um de nós tem uma forma preferida de interagir com o mundo — seja por meio do pensamento, dos sentimentos ou das ações.

Quando, porém, convidamos o Eneagrama ao culto, reconhecemos que nossas formas preferidas de nos envolver com o mundo costumam se refletir em nosso jeito preferido de adorar a Deus.

Sejamos diretos. *Nossa abordagem à adoração reflete nossa personalidade.*

Isso não é algo ruim; é inevitável. No entanto, assim como tantas outras coisas na vida, pode se tornar um problema se não tivermos consciência dessa realidade ou não

140 • O ENEAGRAMA E A IGREJA

nos mostrarmos dispostos a nos abrir para alternativas e um equilíbrio maior.

As três vertentes de adoração

Como já dito em um capítulo anterior, o Eneagrama organiza os nove tipos de personalidades em três grupos de três. Eles são conhecidos como Tríades.

Aqueles que tomam a iniciativa com os sentimentos pertencem à Tríade do Coração (tipos Dois, Três e Quatro). Aqueles que tomam a iniciativa com os pensamentos pertencem à Tríade da Cabeça (tipos Cinco, Seis e Sete). E aqueles que tomam a iniciativa com as ações pertencem à Tríade do Corpo (tipos Oito, Nove e Um).

Algo fascinante que notamos quando o Eneagrama entra na igreja é que essa distinção tríplice entre coração, cabeça e corpo — ou sentimentos, pensamentos e ações — se reflete nos três modos de abordar historicamente o culto dentro do cristianismo.

Podemos chamar essas abordagens de três vertentes da adoração cristã: litúrgica, evangélica e carismática.

A vertente *litúrgica* possui raízes antigas e uma rica história. Ela gira em torno das ações. Qualquer um que já participou de um culto de uma igreja anglicana, episcopal ou católica sabe que não dá para ficar sentado passivamente, apenas ouvindo no banco de trás. O culto é projetado para engajar o adorador em *ações*. Essa é a genialidade da liturgia.

Os cultos litúrgicos convidam os adoradores a uma expressão compartilhada de adoração. Liturgia significa literalmente "o trabalho das pessoas". A vertente litúrgica da tradição se apropria do desejo humano de fazer, agir, participar, inserir-se no culto de adoração.

Se você já participou de um culto litúrgico ou adora regularmente em uma igreja de tradição mais litúrgica, sabe quantas ações corpóreas ele envolve.

A pessoa fica de pé, se senta, se ajoelha, ora em voz alta, caminha até a frente para receber os elementos da comunhão, transmite a paz uns aos outros e assim por diante. Adorar em uma tradição mais litúrgica pode ser uma experiência bem tátil. Gira em torno de fazer.

A vertente *evangélica* encontra expressão poderosa nas igrejas derivadas da Reforma protestante. Trata-se de uma vertente da tradição que prioriza a Bíblia e o ministério da pregação como o ponto alto do culto.

Nessas igrejas, o sermão é central. Aliás, o sermão costuma ser posicionado no culto como expressão do ápice da adoração coletiva. E esse sermão central costuma ter natureza expositiva. É repleto de conteúdo bíblico substancial, que exige atenção do ouvinte.

Não é de espantar que essa tradição se concentre nos *pensamentos*.

Atribui-se grande prioridade ao dever do pregador de apresentar uma exposição fiel das Escrituras, bem como à responsabilidade da congregação de dar ouvidos à Bíblia e escutar o sermão atentamente. A vertente evangélica deriva seu nome da palavra *evangel*, o termo grego usado no Novo Testamento para se referir à proclamação do evangelho.

Talvez você culte em uma denominação com essa vertente. Pode ser uma igreja batista ou presbiteriana. Sabe então que pode ser uma experiência bastante cognitiva, intelectualmente estimulante e até mesmo exigente.

Essa é minha tradição eclesiástica. Embora eu já tenha feito incursões tanto em cenários mais litúrgicos quanto em ambientes mais carismáticos ao longo de meus 25 anos como cristão, na maior parte das vezes tenho adorado e servido em igrejas evangélicas.

Em tais contextos, não é incomum que um sermão dure uns bons 45 minutos. Também não é incomum que muitos dos congregantes, conforme já vi e constatei diversas vezes, levem um Novo Testamento em grego para acompanhar, façam anotações e acompanhem de perto o desenvolvimento lógico da exposição das Escrituras.

Ao longo de dois anos após a faculdade, minha esposa e eu adoramos em uma igreja profundamente enraizada nessa tradição de culto. As Escrituras e o sermão assumiam proeminência, e me lembro de muitos domingos nos quais saíamos do culto nos sentindo revigorados pelo ensino, mas, ao mesmo tempo, absolutamente exaustos pela demanda intelectual.

No lado oposto do espectro, por assim dizer, encontramos a tradição *carismática*. Há bons motivos para afirmar que ela é a mais recente das três vertentes de adoração. Suas raízes, pelo menos na era moderna, remontam ao início do século 20 e ao surgimento do movimento pentecostal.

Nessa tradição, o foco tende a recair sobre a autenticidade, o fervor e a sinceridade. Trata-se de uma vertente de adoração voltada para os *sentimentos*. Se você já esteve em um culto de adoração da tradição pentecostal ou carismática, sabe do que estou falando. Não haverá ninguém dormindo no banco de trás!

É claro que seria equivocado presumir que essas vertentes de tradições são fechadas em si mesmas ou que não é possível haver sobreposição ou mistura dessas tradições em uma mesma igreja. Algumas igrejas da tradição evangélica atribuem forte ênfase aos dons e às expressões carismáticas. E algumas de tradição litúrgica priorizam a pregação e o ensino.

Também não quero sugerir que essas ricas fontes de tradição são o mero resultado de diferentes tipos de personalidade. Seria uma simplificação excessiva e grosseira.

Mas o que podemos afirmar é que certas pessoas tendem a se sentir mais confortáveis e à vontade em determinados tipos de culto de adoração. E, com frequência (embora nem sempre), isso se reflete em como as pessoas são formatadas — ou seja, em sua personalidade.

Contudo, o que o Eneagrama nos ajuda a apreciar é que cada uma dessas vertentes de adoração toca em algo muito importante para nós como pessoas. Se você ama pensar, quebrar a cabeça com temas complexos das Escrituras e refletir sobre teologia, então não é surpresa alguma que se sinta à vontade em uma igreja da vertente evangélica. Ou se você aprecia estética, justiça social ou modos mais coletivos e participativos de expressar adoração, é provável que já tenha se encontrado em uma igreja mais historicamente litúrgica. Caso seja uma pessoa mais expressiva e aprecie momentos de adoração íntima que energizam o coração e fortalecem a alma, então pode gravitar mais para uma igreja de tradição carismática.

Não há nada de errado nisso. É simplesmente o esperado, de acordo com a inclinação de sua personalidade específica.

Tríade	Aspecto principal	Vertente de tradição	Foco ou ponto alto
Cabeça	Pensamentos	Evangélica	Palavra/pregação
Coração	Sentimentos	Carismática	Celebração/adoração
Corpo	Ações	Litúrgica	Sacramento/comunhão

Adoração expressiva e formativa

Parte do desafio para muitos cristãos, porém, é que pensamos na adoração quase que exclusivamente como algo *expressivo*, não necessariamente *formativo*. Tendemos a imaginar que o objetivo da adoração coletiva é expressar nosso louvor e adorar a Deus, em vez de sermos moldados e formatados por Deus.

É assim que o responsável pela condução do louvor costuma nos admoestar: "Vamos erguer a voz e mostrar a Deus toda nossa gratidão a ele". O objetivo é expressar nosso amor, nossa fé, alegria, esperança e confiança.

Há razões históricas para essa abordagem.

Muitas igrejas foram moldadas pelo Segundo Grande Despertamento do século 19 e pela tradição de reavivamento que se desdobrou dele. Líderes de reavivamento como Charles Finney e, algumas décadas depois, Billy Sunday entendiam a adoração (ou os cânticos) como um *preparo* para o verdadeiro cerne da reunião — o sermão evangelístico, com seu apelo para a salvação. Se você já participou de uma cruzada de Billy Graham, Luis Palau ou Greg Laurie, sabe como isso funciona.

Nesse modelo, a música e os outros elementos da primeira metade do culto têm o objetivo de elevar nossas emoções e nos preparar para a mensagem. Isto é, os elementos da adoração servem de preparo para o momento principal do culto — o sermão evangelístico e o apelo.

Muitas de nossas igrejas ainda operam de acordo com esse paradigma, sobretudo as que foram influenciadas pelo movimento *seeker-sensitive*, ou "sensível aos interessados", das décadas de 1980 e 1990.

É claro que expressar nossos desejos mais profundos para Deus é algo bom. E, sem dúvida, a adoração envolve a expressão dos anseios íntimos de nossa alma. Identificamos isso ao longo de Salmos.

Mas precisamos entender que a adoração diz tanto respeito — ou até *mais* — àquilo que acontece *conosco* quanto àquilo que expressamos para Deus.

A adoração é formativa, não só expressiva. Reunimo-nos em adoração coletiva não apenas para exprimir nossa adoração a Deus, mas também para ser formados à imagem de Cristo por intermédio do próprio ato de adoração.

Pensar na adoração como uma experiência fundamentalmente formativa, não só expressiva, muda nosso jeito de pensar sobre os cultos públicos. Além de prestar atenção aos hinos que cantamos e sua relação com o tema principal do sermão, sentiremos o desejo de refletir acerca de como o culto integral — do início ao fim — molda nossos pensamentos e desejos.

Para colocar isso em uma perspectiva teológica, a adoração cristã não diz respeito apenas àquilo que *nós* fazemos. Diz respeito também, de maneira ainda mais fundamental, ao que *Deus* faz. Deus está vivo na adoração cristã. Ele está ativamente envolvido em nossa adoração, tanto quanto nós — ou melhor, ainda mais do que nós.

De fato, Deus é o principal ator na adoração. Por meio de seu Espírito, ele move, fala, cura, ressuscita, convence. Deus não fica parado sem fazer nada, tão somente nos observando cantar de coração para ele. Nada disso! Ele está ativamente engajado em nossos atos de adoração, sendo ele próprio o ator principal.

É por isso que é certo e bom, tanto pastoral quanto teologicamente, pensar no culto de adoração como um momento primariamente formativo, antes de ser expressivo. É formativo porque Deus está em ação, formando à imagem de seu Filho aqueles que ali se reúnem.

Tendo agora essa perspectiva sobre a adoração coletiva, você começará a se fazer perguntas diferentes. Como planejar um culto que forme cristãos maduros? Como estruturar nossas orações, leituras bíblicas, cânticos, sermão e Ceia para nos moldar ainda mais à imagem de nosso Salvador crucificado e ressurreto?

Poucos foram tão influentes na explicação da natureza formativa da adoração cristã quanto James K. A. Smith. O mais interessante é que ele não é ministro de louvor, nem pastor, mas professor de filosofia no Calvin College, em Grand Rapids, Michigan.

Todavia, seu importante projeto de liturgias culturais, desenvolvido na forma de uma série de livros, tem ajudado os cristãos a pensar com muito mais seriedade sobre como a adoração nos forma. Smith escreveu: "O ser humano é um animal litúrgico, uma criatura cujos amores são moldados pela adoração".[1]

James K. A. Smith nos ajuda a ver que o mundo está cheio de liturgias e que tais liturgias influenciam a todo instante nosso jeito de pensar e sentir, bem como o que fazemos. São formativas e moldam nossa perspectiva de vida. O mais importante, porém, é que moldam nossos amores, desejos e a direção de nosso coração.

Smith as chama de "liturgias seculares". Incluem eventos esportivos, o shopping local e toda uma série de outros ritmos e rotinas da vida moderna. Veja o exemplo de uma liturgia formativa e poderosa: "A liturgia do shopping", observa Smith, "é uma educação do coração para o consumismo, que oferece tudo como se fossem bens disponíveis para me fazer feliz."[2] Tão verdadeiro!

Smith descreve isso como um paradigma de baixo para cima na adoração. Começamos com a necessidade do adorador de expressar devoção a Deus. O culto, então, se torna uma oportunidade para fazer isso. Note, porém, que nesse paradigma o *adorador*, e não *Deus*, é o ator principal.

Não quero fazer uma caracterização injusta, nem exagerar os fatos. No entanto, nesse paradigma é fácil presumir que *nós* adoramos ativamente e Deus observa de maneira passiva, aprovando ou desaprovando como o juiz em uma competição de ginástica olímpica. É claro que Deus deveria ser o foco. No fim das contas, porém, acabamos de algum modo, sem perceber, no centro das coisas.

A fim de dar ouvidos às reflexões poderosas de Smith, a fim de que a igreja consiga combater as liturgias seculares da cultura, não basta simplesmente ensiná-las ou analisá-las intelectualmente. Embora úteis, todas essas formas de análise intelectual não tocam o coração, nem guiam os desejos.

Em vez disso, precisamos permitir que a liturgia da adoração cristã realize sua obra sagrada e transformadora em nossa alma. O shopping, com todas as suas seduções reluzentes e diversões comerciais, é formativo, mas a adoração cristã também o é. Conforme observa muito bem Smith: "Adoração não é simplesmente algo que fazemos; é onde Deus faz algo *em* nós".[3]

Adoração cheia de tensão

Ser maduro envolve a capacidade de viver com tensão. Não estou falando em tensão relacional, embora isso também possa ser verdade. Refiro-me à tensão intelectual e emocional, quando as coisas não acontecem como imaginamos que deveriam acontecer ou não fazem muito sentido para nossa maneira de pensar. Ou quando sentimos alegria e tristeza ao mesmo tempo.

Com frequência, digo aos recém-convertidos: "Se você não conseguir viver com tensões, terá dificuldade com a vida cristã".

Por que eu digo isso?

Porque, mesmo com toda sua tocante beleza, a fé cristã está, em suas raízes, repleta de tensões.

Pense no âmago da fé cristã: Deus é três pessoas em uma natureza. Ou pense na encarnação: Jesus tem duas naturezas, mas uma pessoa. Não temos boas analogias terrenas a fim de conferir sentido a esses mistérios cristãos extraordinários. Não conseguimos explicá-los por completo. Só podemos aceitá-los pela fé — e então crescer em nosso entendimento de cada um deles ao longo do tempo.

Entretanto, a fim de aceitá-los pela fé, precisamos estar preparados para viver com certo tipo de tensão — a tensão que talvez você sinta quando não consegue chegar ao resultado correto da equação, mesmo que o professor afirme que há um jeito.

Assim também é a vida cristã. Para viver na plenitude do que significa seguir Jesus, temos de estar dispostos a aceitar algumas tensões emocionais. Pense em quantas vezes, nas Escrituras, encontramos duas emoções aparentemente contraditórias lado a lado. Humildade e esperança. Sofrer e abençoar os outros. Sem dúvida, isso é coisa de outro mundo.

Mas é também um estilo de vida *cheio de tensão*.

Não há solução simples e fácil, como via de regra desejamos. Entendemos a alegria e entendemos a tristeza. Mas alegria *e* tristeza ao mesmo tempo? É exatamente sobre esse tipo de tensão que estou falando, o tipo de complexidade emocional que faz parte de uma vida cristã fiel.

É claro que existe tensão positiva e tensão negativa. A tensão negativa é a que sentimos quando entramos em um lugar e percebemos que há algo no ar que pôs as pessoas na defensiva. Existe ali alguma questão relacional não resolvida, e ninguém está disposto a conversar sobre o assunto. Todos permanecem imóveis, sufocando sob a tensão.

Isso é ruim. Os cristãos não deveriam se contentar com esse tipo de tensão.

Em vez disso, refiro-me à tensão positiva — o tipo que é inerente à fé cristã e que faz parte de ser um cristão maduro.

A adoração cristã deve ser cheia de tensão a fim de incentivar pensamentos e sentimentos cristãos maduros. Nossos cultos não devem acontecer sem tensão. Se acontecerem, provavelmente não amadureceremos a ponto de nos tornarmos os seguidores de Jesus profundos, alegres, contritos, teologicamente engajados e cheios de nuances dos quais o mundo tão encarecidamente precisa.

Na Calvary Memorial Church, que eu pastoreio há mais de uma década, desenvolvemos várias tensões saudáveis para nossos cultos. Nós as compartilhamos com a congregação, a fim de que as pessoas entendam os princípios que guiam nossos cultos.

A cada culto, tentamos viver com a tensão entre ser: (1) reverentes e festivos, (2) intencionais e guiados pelo Espírito, (3) diversificados e coesos, (4) excelentes e acessíveis, (5) edificantes e receptivos. Essas são nossas tensões saudáveis na adoração, e tentamos viver com elas a fim de crescer como congregação, indivíduos e adoradores.

Acrescentamos bastante tensão a nossos cultos a fim de nos tornarmos cristãos maduros. E fazemos isso ao trabalhar para integrar as três diferentes vertentes de tradições de adoração em nossos cultos.

Alguns de vocês adoram em vertentes de tradição carismática. Será bom introduzir no culto momentos mais substanciais de reflexão e silêncio, orações históricas e elementos litúrgicos. Outros fazem parte da vertente de tradição evangélica. Será benéfico pensar em formas de envolver mais no culto o coração e a esfera dos sentimentos. Como seria para vocês promover maior espontaneidade ou intimidade no momento de adoração? Outros ainda cultuam seguindo a vertente de tradição litúrgica. O que é possível fazer para que o culto envolva mais o coração, a mente ou ambos? Como impedir que as coisas se tornem mera rotina?

A moral da história é que todas as vertentes de tradição possuem pontos fortes e, sim, oportunidades para crescimento. E o crescimento que você deseja, tanto para si quanto para sua igreja, é o tipo de crescimento produtivo proveniente de introduzir tensões saudáveis na adoração. Dessa maneira, sua família da fé se tornará mais equilibrada e completa em Cristo — uma comunidade de adoradores que cultua "em espírito e em verdade" (Jo 4.23), com os pensamentos, os sentimentos e as ações.

Unir para glorificar

Em 2008, quando fui chamado para pastorear a Calvary Memorial Church, havia na igreja, como era prática comum na época, dois estilos diferentes de adoração: tradicional e contemporâneo. Isso não me incomoda nem um pouco, porque eu já havia cultuado nesses dois estilos em igrejas anteriores e estava comprometido com a continuidade dessa tradição na Calvary.

Vários anos depois, porém, e por diversos motivos, decidimos fazer uma transição para uma única experiência de adoração e um centro musical unificado. Chamados a iniciativa de "Unir para glorificar" e a baseamos na admoestação de Paulo à igreja em Romanos 15. Foi a decisão certa para a igreja e, de modo geral, um sucesso.

Mas o que quero explicar é o seguinte. Unir para glorificar é a visão correta para todas as igrejas. Mais do que isso, trata-se da visão correta para todo adorador cristão, cujo objetivo deve ser crescer em união e integração da cabeça, do coração e do corpo — ou dos pensamentos, dos sentimentos e das ações — a fim de que cada um possa glorificar melhor a Deus.

Uma igreja que leva a sério as três vertentes de adoração — evangélica, carismática e litúrgica — é mais bem capacitada a fazer exatamente isso. Pois cada uma dessas vertentes da adoração cristã contribui com algo único e importante para uma abordagem equilibrada à adoração pública.

Uma abordagem mais integrada e equilibrada à adoração também ajuda a formar cristãos mais integrados e equilibrados. A união desses aspectos diferentes da adoração cristã pode servir para transformar os cristãos em seguidores mais maduros de Jesus.

Em última instância, queremos honrar a Cristo por meio de uma vida mais equilibrada que envolve a cabeça, o coração e o corpo. Desejamos que Jesus se aproprie de tudo que somos, reinando soberano sobre nossa vida diária.

A adoração coletiva é crucial para isso. Nós nos reunimos para honrar a Deus, ouvir sua Palavra, encorajar uns aos outros e experimentar a presença poderosa do Espírito de Cristo. Mas também nos encontramos para edificar uns aos outros na fé. Isso significa buscar a semelhança a Cristo, oferecendo todo o ser a Deus em adoração — todos os três aspectos de quem somos.

É nesse ponto que encontramos unidade em adoração. Aqui encontramos união entre pessoas, uma vez que trazemos mais à tona aquilo que costumamos negligenciar. E nele encontramos integração — dessas importantes vertentes da tradição cristã, bem como dessas três dimensões fundamentais de nossa vida.

Gosto muito da citação a seguir de A. W. Tozer acerca do quanto é vital nos afastarmos de nós mesmos para voltar o olhar a Cristo, em quem encontramos vida e unidade:

Já parou para pensar que cem pianos afinados com o mesmo diapasão estão automaticamente afinados uns com os outros? Emitem sons no mesmo tom por terem sido afinados não um em relação ao outro, mas, sim, em relação a outro padrão diante do qual cada um individualmente precisou se curvar. Da mesma forma, quando cem adoradores se reúnem, cada um olhando para Cristo, aproximam mais o coração uns dos outros do que conseguiriam fazer caso passassem a refletir sobre a necessidade de "união" e começassem a afastar os olhos de Deus, no esforço para aumentar a comunhão com as pessoas. A religião social é aperfeiçoada quando a religião particular é purificada. O corpo ganha força à medida que seus membros se tornam mais saudáveis. Toda a igreja de Deus se beneficia quando os membros que a compõem começam a buscar uma vida melhor e mais elevada.[4]

No fim das contas, aquilo que nos une em adoração não é a personalidade, mas a pessoa de Cristo.

7

Cuidado congregacional

Ajustando-se ao jeito dos outros

Conheci Suzanne Stabile em julho de 2017. Amigos nossos a haviam convidado para realizar uma oficina sobre o Eneagrama em Indianapolis, então minha esposa Katie e eu decidimos pegar o carro e ir de Chicago para lá.

Embora Katie e eu já estudássemos o Eneagrama havia muitos anos, jamais havíamos participado de uma oficina. E, com certeza, não sabíamos o privilégio que seria aprender com os ensinos de Suzanne por dois dias e meio. Era como ir a uma partida de basquete do Chicago Bulls e ver Michael Jordan jogar — porém com bem menos barulho e muito mais risadas.

Chegamos, porém, em meio a circunstâncias incomuns. A oficina teve início na sexta, mas só conseguimos comparecer no sábado. Sexta-feira, em Chicago, eu havia realizado o funeral de uma adolescente popular em nossa igreja que tinha tirado a própria vida.

As circunstâncias de sua morte foram de partir o coração, como acontece em praticamente qualquer caso de suicídio. Ela estava se preparando para começar o primeiro ano do ensino médio numa escola da região, era uma excelente atleta que competia nos campeonatos de futebol, corrida cross country, vôlei e basquete. Seu pai era um querido professor e técnico da escola, e sua mãe, membro da equipe ministerial da igreja que pastoreio. Eles formavam uma família impecável, e ninguém jamais teria previsto esse tipo de tragédia.

A semana entre o suicídio e o funeral foi um tormento para a família, para mim, para nossa congregação e para toda a comunidade. Todos ficaram em choque, de coração partido, em luto profundo.

Não havia respostas fáceis. Tudo que podíamos fazer, assim como os amigos de Jó ao saber de sua tragédia, era permanecer juntos em silêncio, abraçar uns aos outros e chorar.

Nem preciso dizer que, quando Katie e eu chegamos à oficina do Eneagrama no dia seguinte, não estávamos em nossa melhor condição. Sentíamo-nos exaustos da rigorosa jornada de luto que vínhamos trilhando — não só nossa, mas também da congregação e da comunidade.

Sem que soubéssemos disso, Suzanne vinha estudando a relação entre o Eneagrama e o luto e estava preparada para partilhar algumas de suas reflexões com os participantes do curso.

Ao longo das três primeiras horas, Katie e eu ficamos sentados ali, absorvendo tudo e ainda digerindo o que ocorrera na semana anterior. Foi então que Suzanne começou a falar, com seu jeito terno e bondoso, sobre como as perdas fazem parte da vida. Explicou que não existe jeito "certo" de sentir luto e que cada um de nós, de acordo com nosso tipo no Eneagrama, lida de maneira diferente com as perdas e o luto.

"Por isso", continuou com seu delicioso sotaque arrastado do sul dos Estados Unidos, "precisamos honrar a maneira do outro de enxergar o mundo e a maneira do outro de *sofrer* neste mundo."

Assim como o Eneagrama nos ensina a olhar com compaixão para como os outros transitam por este mundo, ele também nos incentiva a fazer o mesmo a respeito de como os outros lidam com as perdas, a tristeza e o luto.

Foi profundamente esclarecedor e extraordinariamente útil. Sobretudo para mim, como pastor. Pois, como você já sabe, os pastores se especializam em perdas e, com frequência, somos chamados a caminhar ao lado das pessoas pelo "escuro vale da morte" (Sl 23.4).

Refletir sobre como os diferentes tipos de personalidade processam o luto de nos deu as lentes necessárias para entender a semana anterior de nosso ministério. Começamos a enxergar as reações diferentes das pessoas à notícia trágica de um suicídio em nossa congregação à luz de quem são como pessoas.

Aquilo nos ajudou muito a pensar nos pais daquela adolescente, que estão entre nossos melhores amigos da igreja. A mãe é tipo Um e o pai é tipo Três. Nem preciso dizer que as reações de cada um à perda da filha foram absolutamente diferentes.

Mas também foi útil para que Katie e eu refletíssemos sobre nossa forma de abordar o aconselhamento e de participar do luto de outra pessoa. Katie é Quatro e, como a maioria das pessoas desse tipo, tem a habilidade sobre-humana de sentir empatia pelos outros em sua dor. Ela é genial quando se trata de cuidar de pessoas em crise.

Eu sou Oito e percebi que estava me deslocando em direção ao tipo Dois à medida que a semana passava (algo que os professores do Eneagrama chamam de "integração"). Descobri novas camadas de benevolência em meu coração, conforme meu Oito era ativado pelo luto da igreja. Foi uma semana reveladora e verdadeiramente transformadora em nossa vida, bem como na vida da igreja.

Suzanne nos ajudou a apreciar uma das lições mais poderosas do Eneagrama: ele nos incentiva a *estar disponível para os outros* quando eles mais precisam, como nas ocasiões em que somos chamados a fazer a jornada juntos durante momentos difíceis e sombrios, atravessando perdas, luto, tragédias e até a morte.

Se o discipulado cristão diz respeito a ser proativo com os insights do Eneagrama em nossa busca por crescimento, conforme analisamos no capítulo anterior sobre adoração, este capítulo, por sua vez, mostrará que o cuidado congregacional está ligado a reagir — ou melhor, *responder* — com os insights do Eneagrama.

Isto é, como o Eneagrama pode nos ajudar a encontrar as pessoas onde elas estão — a entender como os seguidores de Jesus processam de maneira singular seus problemas de vida e padrões pecaminosos, e como exprimem dúvida e lidam com a descrença.

Quando o Eneagrama entra na igreja, descobrimos como nós, o corpo de Cristo, podemos suportar com mais eficácia as lutas uns dos outros e, assim, carregar os fardos uns dos outros, como o próprio Cristo fez (Gl 6.2).

Pouco tempo atrás, conversei com um pastor amigo meu que possui formação pastoral em um seminário e também um diploma de pós-graduação em aconselhamento. Ele me contou como o aconselhamento pastoral aos membros os tem ajudado a descobrir qual é o *medo* subjacente que impulsiona suas reações e comportamentos. Imagino que isso pode ser incrivelmente útil.

No entanto, o que me chamou a atenção foi o fato de meu amigo ser tipo Seis. Ele luta contra o medo como um impulso motivacional profundo, assim como todos os tipos de personalidade da Tríade da Cabeça (tipos Cinco, Seis e Sete).

Conversamos sobre como suas lutas contra o medo, por ser Seis, o levam a enxergar o medo como o impulsionador de qualquer pessoa. Talvez se ele fosse Dois ou Três, enxergaria a vergonha como questão latente ou, se fosse Nove, Um ou Dois, poderia identificar a raiva como motivador.

A questão é que nosso tipo de personalidade no Eneagrama afeta nosso modo de abordar o aconselhamento pastoral a outras pessoas. *Nossa tendência é transformar nossa dificuldade na dificuldade de todos.*

Sem dúvida, o medo é uma questão significativa para muitas pessoas. Mas não é a única. Talvez não seja sequer um questionamento relevante para alguns. A vergonha ou a raiva podem assumir maior importância. Mas nossa tentação é transformar nossa luta na luta de todos. Eu faço isso. Todos fazemos isso.

Achamos fácil normalizar nosso jeito de lidar com o mundo como se fosse a reação normal das pessoas. Mas esse não é necessariamente o caso. Os outros podem responder de maneira bem diferente. A mestre do Eneagrama Helen Palmer nos lembra de como os diferentes tipos do Eneagrama enxergam o mundo de maneira diferente e da importância ter isso em mente durante o ministério do aconselhamento ou cuidado congregacional. Ela usa uma expressão maravilhosa para enfatizar essa lição ao afirmar que devemos "ajustar-nos ao jeito dos outros".[1]

Essa é uma forma poderosa de realmente calçar o sapato da outra pessoa.

Ela explica: "O mundo parece muito diferente a cada um dos nove [tipos] e, ao ajustar-se ao jeito dos outros, entendendo como se sentem, é possível mudar o próprio ponto de vista e chegar ao entendimento verdadeiro de quem as pessoas que fazem parte de sua vida realmente são, em lugar do que seus conceitos acerca delas poderiam levá-lo a crer".[2]

Saber disso é extremamente benéfico quando deparamos com os outros nas trincheiras da vida ou no precipício da crise. O bom cuidado pastoral que realmente se conecta com as pessoas implica encontrá-las onde estão. Isso envolve várias coisas, principalmente e talvez a mais difícil, suspender suas noções preconcebidas acerca de quem é aquela pessoa.

Conforme Palmer explica, algo intimamente relacionado a isso é a importância de possuir um "entendimento verdadeiro" sobre quem é a pessoa de quem você está cuidando. Não se trata apenas do caminho rumo a um cuidado pastoral eficaz, mas também do caminho do amor — para tratar os outros como você gostaria de ser tratado. Pois quem não gostaria de receber os cuidados de alguém que entende de verdade quem você é?

Ajustar-se ao jeito dos outros é exatamente o que significa prover cuidado pastoral transformador da vida. Os membros desejam ser vistos, ouvidos, conhecidos e compreendidos. Podem gostar de ser ensinados, de ouvir pregações e até palestras de tempos em tempos. Quando, porém, estiverem passando pelo vale escuro da morte, não querem escutar seu melhor sermão. Em vez disso, querem sua presença pastoral.

Sobretudo em tempos de sofrimento, os congregantes desejam que você seja a presença de Cristo para eles. Querem um sumo sacerdote que se mostre compreensivo e empático, assim como as Escrituras descrevem Jesus (Hb 4.5).

Você não será capaz de fazer isso sem ajustar ao jeito dos outros.

Cuidado congregacional tóxico

Infelizmente, muitos de nós já vivenciaram um cuidado nada compreensivo nem empático, seja de um pastor, cônjuge ou amigo. Chamo essa falha em personificar Jesus ao interagir com os outros de uma forma de cuidado congregacional *tóxico*.

Aquilo que nos aconteceu não é necessariamente culpa de ninguém. Com certeza, não é culpa nossa. É simplesmente a maneira como tendemos a cuidar uns dos outros sem pensar muito a respeito. Temos a forte propensão de minimizar ou até mesmo de menosprezar o luto e a perda. E achamos muito difícil levar a sério, quanto mais falar com honestidade e franqueza, sobre as emoções sombrias que o luto e a perda suscitam. O resultado? Maneiras tóxicas de tentar ajudar e curar os outros.

Não se trata da falta de desejo ou de intenção por parte dos líderes da igreja. Isso se dá porque absorvemos determinadas maneiras de pensar sobre as emoções sombrias que acabam por dificultar profundamente a prática de um cuidado congregacional voltado para a cura.

Com frequência, os cristãos recorrem a clichês e frases feitas ao lidar com questões sérias de luto ou perda. Não sabemos como caminhar ao lado do outro e possibilitar espaço para iniciar diálogos, oferecendo cura e esperança a quem sofre. Em vez disso, não raro acabamos exacerbando o sofrimento com condolências que mais parecem frases de para-choque de caminhão, de tão batidas.

"Ela está em um lugar melhor agora!"

"Tudo coopera para o bem."

Blá!

Pode até ser verdade. Mas não é muito útil no momento. Por que não? Porque fecha o coração para a cura, em vez de abri-lo.

Permita-me explorar um pouco essa importante questão.

Existem quatro maneiras de isolar as emoções sombrias e

impedir que se transformem em ferramentas de cura e oportunidades de transformação. Talvez a mais comum delas seja *trivializar* a perda ou o luto. Não fazemos isso com malícia, mas, sim, por hábito.

Queremos consolar as pessoas que sofrem, por isso falamos coisas que achamos que diminuirão a sensação de perda, ao destacar que as circunstâncias não são tão ruins quanto poderiam ser. Tentamos mostrar a luz no fim do túnel, achando que estamos animando seu espírito.

Mas esse tiro costuma sair pela culatra. A pessoa sente que sua situação não foi levada a sério. Não somos empáticos. E, pior ainda, ela começa a se perguntar se não está exagerando. Em consequência disso, ela pode se desconectar dos sentimentos de luto e perda; esconder as emoções sombrias de tristeza, medo e desespero; e sofrer sozinha e em silêncio.

Também tendemos a *relativizar* o sofrimento dos outros. Procuramos animá-los reforçando o pensamento de que seu sofrimento ou sua perda não são tão ruins quanto o de outras pessoas. Fazemos isso por meio de comparações negativas, nas quais destacamos que outra pessoa do mundo se encontra em situação pior.

Você pode ter acabado de receber o diagnóstico de câncer de mama, mas pelo menos mora num país com acesso a ótimas opções de cuidados de saúde. Ou então acabou de descobrir que seu marido a estava traindo, mas pelo menos pode contar com o apoio de familiares e amigos que ajudarão você a superar a situação.

No momento, é claro, pensamos que esse tipo de comentário consola o sofredor. Na verdade, porém, costuma deixar a pessoa envergonhada por sentir tristeza ou luto, agora que foi lembrada de alguém está passando por algo pior. Então, o que fazer com esses sentimentos?

Outra forma tóxica de cuidado congregacional é a *moralização*. Essa foi a abordagem falha dos célebres amigos de Jó. Eles não estavam interessados em trivializar ou relativizar o sofrimento do amigo. Em certo sentido, a abordagem deles foi ainda mais fria e cruel.

Explicaram para Jó que seu sofrimento era ruim *porque ele era mau*. Agrediram seu caráter. Tentaram racionalizar o luto e a perda como consequências de defeitos morais de Jó.

Uau. Que desmoralizante!

Infelizmente, porém, fazemos esse mesmo tipo de coisa, ainda que sem intenção. Achamos que estamos sendo úteis e simpáticos diante do sofrimento e da perda de outra pessoa ao buscar uma explicação para seu sofrimento, algo que ela possa ter feito de errado.

A nosso ver, isso servirá de consolo porque, se a pessoa conseguir identificar o que fez de errado e que a colocou naquela situação, poderá mudar o comportamento e escapar do problema.

É um clássico ato de moralização. Acontece o tempo inteiro. E é uma forma tóxica de cuidado.

Há mais uma maneira de lidar equivocadamente com o sofrimento e a perda dos outros. Nós *espiritualizamos* a questão.

Isso, na superfície, pode parecer algo bom. Afinal, nosso desejo não é colocar as coisas em perspectivas espiritual e enxergar nossa vida assim como Deus a vê?

Mas não é exatamente isso que queremos dizer ao nos referir a espiritualizar a dor e a perda. Quando espiritualizamos, subentendemos que o sofrimento da pessoa não é tão ruim assim quando o enxergamos de uma perspectiva espiritual.

Se tão somente analisarmos as coisas "da perspectiva divina", tudo pareceria — e *sentiria* — bem diferente e melhor.

Os funerais podem ser um antro de espiritualização nociva. Sem dúvida, todos têm boas intenções e querem animar o enlutado. Mas tendemos a fazer isso insistindo que ele seja *menos humano* e *mais angelical* na superação do luto ou da perda.

"Ela está em um lugar melhor agora!", dizemos para a jovem que perdeu a mãe. Ou então coisas como: "Mas nós sabemos que todas as coisas cooperam para o bem daqueles que amam a Deus".

Sim, tudo isso é verdade — mas nem sempre é o mais útil a se dizer naquele momento, pois espiritualiza o sofrimento de uma forma que não permite ao sofredor ser completamente humano.

Quatro formas de cuidado pastoral tóxico	
Trivializar	"Não é tão ruim quanto poderia ser."
Relativizar	"Não é tão ruim quanto a situação daquela pessoa."
Moralizar	"É ruim porque você fez algo mau."
Espiritualizar	"Não é tão ruim assim — Deus tem um plano."

Também tendemos a moralizar e espiritualizar nossas diferentes abordagens à vida, sendo que elas podem ser simplesmente uma característica de nossa personalidade. Isso não quer dizer que não existam questões morais a ser levadas em conta ou que não faz parte de sua tarefa andar pelo Espírito e viver guiado pelo Espírito.

Mas se você é tipo Sete, por exemplo, é muito tentador achar que a natureza cautelosa e cheia de perguntas do Seis se deve à falta de alguma qualidade moral que é natural para você, como a coragem ou o otimismo. Ou, se você é tipo Dois, é muito fácil achar que a assertividade de um Oito, por exemplo, não passa de orgulho ou arrogância.

Infelizmente, somos propensos a moralizar e espiritualizar nossas diferenças de personalidade.

Como lidar com emoções sombrias

O cuidado congregacional relevante e transformador envolve lidar com emoções sombrias. Quais são elas? Em seu livro profundo e extremamente útil sobre o luto, Miriam Greenspan escreveu: "Não há vida sem perda; logo, não há vida sem luto".[3]

Emoções sombrias não são emoções más; são apenas emoções difíceis. Não são fáceis, agradáveis, positivas, alegres ou empolgantes. Mas isso não as torna inerentemente ruins.

Com frequência, nós as enxergamos assim. Emoções negativas são emoções más. Senti-las é sinal de que há algo errado com a pessoa, como uma enfermidade ou doença. É preciso encontrar uma cura o mais depressa possível.

Greenspan explica que são emoções sombrias porque consistem no tipo de emoção que a cultura prefere manter às sombras. Não gostamos de mostrá-las para os outros. Não gostamos de vê-las em público. Não gostamos sequer de partilhá-las com amigos e familiares, quanto menos com estranhos. Nós as consideramos vergonhosas, defeituosas, quebradas. Preferimos não falar sobre elas.

Mas aí entra a pegadinha. As emoções sombrias podem se tornar emoções *ruins* se nos recusarmos a lidar com elas de maneira honesta e aberta. Quando permitimos que as emoções sombrias permaneçam às sombras, elas podem apodrecer, crescer e azedar. No fim, são capazes de poluir toda a perspectiva da pessoa em relação à vida e arruiná-la de dentro para fora.

Veja o exemplo da emoção sombria da raiva. Poucos de nós se sentem confortáveis em confessar que tem dificuldade de administrar a raiva. Não é o tipo de oração que as pessoas fazem em pequenos grupos: "Vocês podem, por favor, orar por mim? Sinto raiva intensa de meu cônjuge e meus filhos".

Ai! Não, obrigado.

E, uma vez que não trazemos essa emoção sombria à tona, ela tende a permanecer subterrânea, supurando e aumentando de tamanho.

De acordo com Greenspan, nossa dificuldade com as emoções sombrias é simples: "Nós nos afastamos delas, em vez de ir em sua direção".[4] Por quê? Porque, conforme explica ela, somos uma cultura que sofre de "emoção-fobia".[5]

Temos medo das emoções sombrias — de coisas como raiva, angústia, medo, amargura e desespero. E é por isso que as mantemos no escuro, fora do campo de visão, com a esperança de que também desapareçam de nossa mente. Fazemos isso ao minimizar as emoções sombrias ou ao tentar controlá-las.

"Recomponha-se!" é um de nossos mantras culturais preferidos. Em geral, isso significa: "Mantenha suas emoções sombrias fora de vista. Elas não são companhias educadas".

Greenspan defende uma abordagem diferente. Vá em direção a suas emoções sombrias, em vez de fugir delas. Por quê? Porque nós descobriremos "a sabedoria de cura das emoções sombrias".[6] E explica: "As emoções sombrias podem ser nossos melhores professores espirituais, ainda que também os mais exigentes, quando conseguimos ir além da compulsão de controlá-las".[7]

Mas como acessar a sabedoria das emoções sombrias?

Greenspan explica de forma maravilhosa o processo de ir em direção a suas emoções sombrias, a fim de permitir que se tornem seus mestres espirituais. Chama isso de realizar uma "alquimia" com suas emoções sombrias.

A alquimia, conforme você deve se lembrar das aulas de história no ensino médio, corresponde ao desejo medieval de transformar outros metais em ouro. De acordo com essa analogia, alquimia *emocional* significa transformar emoções sombrias em sabedoria de cura.

Assim, devemos fazer amizade com nossas emoções sombrias a fim de fazer uso de seu poder de cura em nossa vida. Como podemos realizar isso?

O Eneagrama é um bom guia.

Afinal, ele nos lembra de que, por causa de nossa personalidade, cada um de nós tem uma forma diferente de reagir às emoções sombrias e lidar com elas. Logo, no mundo da alquimia do sofrimento, o Eneagrama se torna uma ferramenta inestimável, uma grande fonte de sabedoria no trabalho de cura do cuidado congregacional.

Greenspan aconselha um processo em três etapas: AAE.

Primeiro, *atenção*. Aqui, aprendemos a ouvir as emoções sombrias presentes em nosso corpo e diminuir o ritmo o suficiente para prestar atenção ao que de fato está acontecendo em nosso interior.

Segundo, *amizade*. Nessa etapa, precisamos *sentir* as emoções sombrias para que possamos curá-las. Por isso, precisamos nos aproximar. Isto é, devemos recebê-las como amigas, em vez de rejeitá-las como inimigas.

Terceiro, *entrega*. Para deixar nossas emoções sombrias irem embora, precisamos deixá-las fluir. Isso quer dizer nos entregar às emoções sombrias e senti-las nas profundezas de nosso ser. Não se trata necessariamente de uma manifestação melodramática ou de um convite para agir de modo inapropriado. Em vez disso, é um chamado para que paremos de resistir a essas emoções, como quem reforça uma represa para conter a água.

A alquimia acontece quando nos abrimos para emoções sombrias e lhes oferecemos aceitação e até acolhimento — como professoras, amigas e mentoras. Talvez, porém, você esteja pensando: "O que este sofrimento tem para me ensinar? Como minha tristeza e raiva apontam para a cura e a esperança? Para onde esses sentimentos de dor e angústia me levarão se eu assim permitir?".

Veja bem, as emoções sombrias são repletas de propósito. Elas têm algo a nos ensinar se estivermos dispostos a ouvir. Nosso sofrimento falará conosco se abrirmos os ouvidos. E, ao fazer isso, encontraremos cura.

Seu estilo de vivenciar o luto

Um dos desafios ao lidar com o luto e a perda é achar que há somente uma maneira certa de passar por isso. Quando enfrentamos a situação do suicídio citada acima, pude constatar um estilo muito diferente de vivenciar o luto. Conforme já mencionei, a mãe da filha que tirou a própria vida é tipo Um. É claro que ela sentiu luto e tristeza inenarráveis. Mas não externava as emoções com facilidade. Outros eram muito mais expansivos e transparentes na expressão do luto. Ninguém teve uma reação "melhor" ou "mais espiritual". Todos estavam passando pelo luto da maneira mais natural para a própria personalidade.

Há algo muito importante que devemos entender. *Nossa maneira de lidar com as perdas é nossa maneira de lidar com a vida.*[8] E nossa maneira de lidar com a vida — isto é, nosso jeito de transitar pelo mundo — está ligada a nossa personalidade, nosso tipo no Eneagrama. Logo, cada um de nós tem um estilo único de vivenciar o luto, condizente com nosso tipo no Eneagrama.

Seu tipo no Eneagrama molda sua maneira de lidar não só com a vida, mas também com a perda. O Um passa pelo luto de modo muito diferente do Três. O Quatro não sofre perdas como acontece com o Oito. E, se você é Sete, não ficará enlutado do mesmo jeito que o Dois.

Aliás, o especialista em luto Kenneth Doka refletiu sobre essa questão e identificou quatro estilos diferentes de vivenciar o luto: o *luto emocional*, o *luto mental*, o *luto mental e emocional* e o *luto emocional* versus *mental*. É claro que são apenas tendências. Não é necessário que consistam em categorias rígidas e intransponíveis. Essas quatro opções estão em um contínuo. Ninguém é um tipo puro.[9]

Quem passa pelo *luto emocional* sente a perda intensamente e não tem dificuldade em demonstrar seus sentimentos. Tende a ser expressivo e a chorar com facilidade. Fica bravo ou triste muito facilmente. Não fica constrangido, nem envergonhado pelo próprio luto, e se sente confortável em se aprofundar e conversar sobre a questão.

Já quem sofre o *luto mental* tende a processar o sofrimento dentro da própria mente. É mais reticente em expressar as próprias emoções. De fato, emoções intensas podem parecer bem assustadoras para quem sente o luto dessa maneira.

Há também quem passa pelo *luto mental e emocional*, que alterna entre as duas maneiras de lidar com o sofrimento e a perda. Às vezes, tem facilidade em expressar uma ampla gama de expressões sombrias. Em outras ocasiões, parece estar totalmente preso na própria cabeça, conversando em terceira pessoa acerca de sua dor.

Por fim, há o *luto emocional* versus *mental*. Essa maneira diz respeito àqueles que, por algum motivo, usam a cabeça para reprimir o coração ou cujo coração domina a cabeça. Não oscilam entre os dois, mas colocam um contra o outro de forma a gerar severa dissonância e angústia pessoal.

Correlacionei na tabela abaixo os quatro estilos de luto de Doka com os nove tipos diferentes do Eneagrama. O mais valioso para os pastores e outros líderes de igreja, que passam tempo frequente partilhando do sofrimento e da perda alheios, é ter em mente que cada um de nós necessita de espaço e permissão para passar pelo luto à própria maneira.

Quatro estilos de luto propostos por Doka	Tipos do Eneagrama
Luto emocional (mais intuitivo)	Dois, Quatro
Luto mental (mais prático)	Cinco, Sete
Luto emocional e mental (combinação)	Três, Seis
Luto emocional *versus* mental (conflito)	Oito, Nove, Um

Os pastores e outros líderes congregacional farão muito bem ao refletir sobre os estilos de luto enquanto ministram cuidado pastoral ao rebanho. Todos da congregação já sofreram e continuarão a sofrer perdas. É parte da vida.

Mas reagimos de maneira distinta à perda, assim como reagimos de maneira distinta à vida.

Quem é Um processa o luto de forma muito diferente do Quatro. O Oito reage de modo diferente do Dois. Sim, todos somos humanos. Contudo, nossa personalidade molda nosso jeito de vivenciar o mundo e de responder às coisas difíceis que acontecem conosco e com os outros neste mesmo mundo.

O cuidado pastoral sábio começa ao se levar a sério tais diferenças, sobretudo enquanto processamos o luto e a perda de formas diferentes. Em contrapartida, o cuidado congregacional que presume que todos somos basicamente iguais é, na melhor das hipóteses, desajeitado. O mais provável é que seja, na verdade, tóxico.

Pastorear junto ao leito de enfermidade

Cresci em uma família de médicos. Meu irmão mais novo é médico. Meu irmão mais velho também. Meu cunhado é médico. Meu sogro também. E minha cunhada é medica. É médico para todo lado!

Por estar rodeado por tantos médicos há tanto tempo, meu apreço por essa profissão só faz crescer. Também aprendi alguns dos termos e algumas das expressões que eles costumam usar. São úteis e cheias de aplicações práticas.

Uma das expressões mais úteis que ouvi deles é *modos junto ao leito*.

É uma maneira de se referir à conduta do médico durante os momentos delicados e sensíveis que passa junto ao leito do paciente.

Alguns profissionais têm péssimos modos junto ao leito. São desajeitados, concentrando-se somente nos fatos, não nos sentimentos, falando de maneira incompreensível ou rápida demais, sem dar ao ouvinte a chance de assimilar o que é dito. Outros são gênios nesse contato. Equilibram informação com gentileza, fazem contato visual e até oferecem o toque apropriado, colocando a mão sobre o ombro da pessoa para garantir que tudo vai ficar bem.

Pastores e outros líderes ministeriais devem refletir mais sobre sua conduta junto ao leito de enfermidade — não do tipo dispensado pelos médicos, mas do papel realizado pelos pastores e líderes de igreja.

Assim como os médicos, com frequência, os pastores são chamados para atuar em situações sensíveis e delicadas. Uma família acabou de receber notícias terríveis de morte de um ente querido ou um diagnóstico médico com perspectiva desanimadora.

Como você comparece nesse tipo de situação? Como se porta? Qual é sua conduta? O que você diz? Talvez o mais importante seja: *Como* você diz o que diz?

Quais são seus modos diante daqueles que estão passando por um período difícil e necessitam de sua presença, suas orações e seu consolo?

É isso que chamo de conduta pastoral junto ao leito de enfermidade. É como um pastor ou ministro se porta quando mais necessário, quando o trem da vida sai dos trilhos, quando uma circunstância terrível assola uma família querida da congregação que carece desesperadamente de que você seja Jesus na vida dela naquele momento.

A conduta pastoral em situações delicadas está em forte sintonia com nossa personalidade. Nos momentos mais vulneráveis é que somos mais singularmente nós mesmos.

Os hospitais chamam isso de relação médico-paciente, referindo-se ao decoro em torno do paciente, sobretudo quando está sofrendo dor, precisa confrontar algo incômodo ou recebeu notícias médicas desanimadoras.

O bom cuidado pastoral requer boa conduta em situações delicadas, ou seja, inteligência emocional para não agir de maneira desajeitada em meio à situação. A consciência de si mesmo e dos outros que o Eneagrama proporciona é um bem valioso para cultivar a inteligência emocional e uma boa conduta em meio a situações delicadas.

O poder da comunhão interpessoal

O cuidado congregacional transformador, que transmite vida, leva a sério a singularidade de cada pessoa. Busca o indivíduo onde ele está e então leva o amor de Cristo à situação. Pois a presença de Cristo é a realidade transformadora para todos nós.

Os pastores e outros líderes da igreja podem ajudar as pessoas a se voltar para Cristo ao levar mais a sério a comunhão interpessoal.[10] Por comunhão interpessoal refiro-me à comunhão entre pessoas, ou, conforme às vezes dizemos, o "encontro de mentes afins".

Trata-se de algo profundamente pessoal e recíproco. É a experiência que envolve não só conhecer outra pessoa, mas também ser conhecido *por* ela.[11]

Há séculos, cristãos comuns têm entendido que uma transformação espiritual e pessoal profunda acontece não tanto por conhecer, mas, sim, por ser conhecido. Uma nova geração de neurocientistas está nos ajudando a compreender isso com mais clareza.

Por que os Alcoólicos Anônimos (AA) são, de longe, o programa de mudança comportamental mais bem-sucedido que já existiu? Porque todos os encontros começam do mesmo jeito:

— Oi, meu nome é Todd. Eu sou alcoólatra.

— Oi, Todd.

Trata-se de um lugar no qual muitas pessoas, com frequência pela primeira vez na vida, são conhecidas por outras tal como realmente são.

O que os AA descobriram — e nós, igreja, às vezes temos dificuldade de compreender — foi o poder transformador da comunhão interpessoal.

Algo milagroso acontece quando duas mentes se encontram com empatia. Sabemos, por experiência própria, que isso é verdade. Mas agora os neurocientistas têm dados para comprovar. Algo acontece literalmente dentro de você (isto é, em seu cérebro) quando você sabe que é conhecido por alguém.

Novas redes neurais são criadas, novas sinapses disparam e seu cérebro é, literalmente, mudado para melhor.

O psiquiatra Dan Siegel chama isso de experiência de "sentir-se sentido".[12] Acontece quando você percebe que a outra pessoa entrou em seu mundo interior e compartilha com você a experiência do que se passa lá dentro. É o que chamamos de "empatia" e está no cerne da comunhão interpessoal. Mas é também a chave de ignição para a transformação pessoal e espiritual — ser conhecido, não só conhecer. E não só por outro ser humano, mas, em última instância e no grau mais importante, pelo próprio Deus.

O psiquiatra cristão Curt Thompson explica: "O processo de ser conhecido é o recipiente no qual nossa vida é trabalhada e moldada, lancetada e suturada, confrontada e confortada, trazendo a nova criação de Deus para mais perto de sua plenitude, em preparo para o retorno do Rei".[13] E é o Eneagrama que nos ajuda no processo transformador de conhecer e ser conhecido.

8

Trabalho em equipe

É tudo sempre pessoal

Não muito tempo atrás, atuei como facilitador em um retiro de um dia inteiro com um grupo de líderes de um ministério cristão da região metropolitana de Chicago. O líder do grupo sabia do meu interesse pelo Eneagrama e propôs que eu compartilhasse algumas reflexões sobre dinâmica de grupo com sua equipe.

— Espero que algo de bom saia de tudo isso — lembro-me de ouvi-lo de dizer. No momento, aquilo me soou um pouco estranho. Então ele continuou, como se quisesse se explicar. — É que estamos passando por uma fase difícil.

— Entendi — respondi, sabendo que provavelmente não seria algo fácil e direto.

É claro que não me dei conta, naquele instante, de que, na verdade, aquela equipe ministerial precisava encarecidamente de ajuda. Havia muito tempo, vivia em conflito e sem trabalho em grupo. As coisas estavam se desfazendo.

O encontro aconteceu em um prédio antigo perto do centro de Chicago. A sala era modestamente adornada com sofás gastos, varal de lâmpadas iluminando o ambiente, algumas escrivaninhas, um frigobar cheio de refrigerantes e uma cafeteira bem cuidada que claramente era muito usada. Parecia o apartamento de um *millennial*.

174 • O ENEAGRAMA E A IGREJA

Na lateral, havia uma grande mesa de reuniões, com cadeiras suficientes para uma equipe completa com dezesseis pessoas, a maioria delas na casa dos vinte anos. Na parede por trás da mesa de conferência, um quadro-negro, no qual estava escrita uma única palavra.

Lamento.

Olhei para aquela palavra imponente e engoli em seco. Soube que seria intenso. Fui convidado a participar do segundo dia de um retiro de liderança de três dias de duração. O primeiro dia não acontecera exatamente conforme planejado. Conflitos graves vieram à tona, e a equipe não sabia exatamente o que fazer a esse respeito.

Então eu cheguei no segundo dia. Que sorte a minha!

Mas aqui está a questão. Aquela era uma equipe que trabalhava em conjunto havia muitos meses e, em alguns casos, muitos anos. Conheciam o sucesso e haviam desfrutado todo tipo de vitória pessoal e ministerial. Contudo, também estavam aprendendo sobre os desafios de trabalhar juntos em equipe.

Estava claro que a equipe enfrentava dificuldades. No entanto, ninguém sabia ao certo por quê. Todos tinham suas suspeitas, e a maioria imaginava saber quem era a parte (ou as partes) a se responsabilizar por isso. Havia muitos dedos apontados nos bastidores. Não era uma dinâmica saudável.

É importante deixar claro que o problema não era o desempenho. Nesse âmbito, estavam indo bem. O problema era o conflito de personalidades. Era essa a questão, bem debaixo do nariz de todos, mas completamente fora da visão.

Às vezes, equipes de trabalho entram em conflito e até fracassam por falta de desempenho. Simplesmente não conseguem realizar o que é preciso. Não possuem as habilidades, o conhecimento ou o compromisso necessário para realizar bem o trabalho.

Em outros casos, porém — e, na verdade, com frequência ainda maior —, as equipes têm dificuldades e fracassam por causa de personalidades voláteis mal administradas. Os membros possuem todo o poder de desempenho do mundo. Mas não conseguem se unir como *equipe*. Acabam se perdendo em problemas interpessoais, que crescem a ponto de distrair o time de sua missão e minar sua energia.

Era o que estava acontecendo em Chicago no segundo dia.

Comecei minha fala meio nervoso, fazendo uma breve introdução a meu respeito, e apresentei o Eneagrama. Em seguida, concentramos nossa atenção nas duas principais perguntas que eu queria debater com o grupo. Primeiro: como é ser você? E segundo: como é trabalhar com você? Escrevi ambas no quadro. Todos encararam em silêncio.

— Vai ser interessante — um deles deixou escapar. Todos deram risada.

De fato, foi interessante. E, pela graça de Deus, levou renovação e cura a todos os envolvidos, inclusive a mim. Eles não resolveram todas as diferenças. Mas agora tinham uma nova maneira de pensar sobre por que se sentiam presos, sem saber para onde ir. O Eneagrama não foi uma poção mágica. Mas funcionou como um bote salva-vidas para impedir que aquela equipe afundasse.

Já disseram que o ministério é um esporte coletivo. Isso é compreensível, já que dificilmente algo de valor duradouro acontece sem o esforço colaborativo dos membros da equipe. Isso se aplica ao mundo dos negócios, aos esportes ou à igreja.

Equipes coesas estão no âmago das iniciativas de sucesso, inclusive das ministeriais. Não dá para alcançar grandes coisas sem depender das contribuições dos outros. Ainda mais neste mundo emergente, em que o montante de informações e a velocidade das mudanças excedem em muito a habilidade de absorvê-las. Precisamos uns dos outros. Precisamos trabalhar juntos em equipe.

Equipe é o segredo para o sucesso nesta nova realidade.

Mas conforme poderá lhe garantir qualquer um que já participou de uma comissão, um conselho ou uma equipe pastoral, trabalhar em equipe é mais fácil no papel do que na prática. Personalidades fortes, manias estranhas, pessimistas de carteirinha, conflitos recorrentes, incompreensões inevitáveis — tudo isso é comum em equipes de ministério e na liderança da igreja. E são mortais para a eficácia e o impacto do ministério.

Neste capítulo, eu mostrarei como a sabedoria do Eneagrama e seu apreço pela constituição e contribuição singular de cada tipo de personalidade pode transformar grupos disfuncionais de pessoas em equipes ministeriais exitosas e de primeiro nível. Tudo começa com a analogia de um ônibus.

Encontre seu lugar no ônibus

O segredo para construir uma equipe de liderança coesa começa encontrando seu lugar no ônibus. Para alguns, essa proposta não parece muito convidativa. Você se lembra muito bem do ensino fundamental, quando entrava naquele grande transporte escolar procurando ansioso um lugar vazio — *qualquer* lugar.

Você vai para o fundão do ônibus onde os meninos grandes do quinto ano se juntam para zoar? Ou você se senta no primeiro lugar disponível, lá na frente, onde todas as crianças bem-comportadas, mas ligeiramente entediantes, tendem a ficar? Você ficava desesperado para achar seu lugar!

Talvez você se sinta aliviado ao saber que não é isso que tenho em mente. Encontrar seu lugar no ônibus é uma metáfora popularizada por um dos maiores escritores sobre o mundo dos negócios dos últimos vinte anos, Jim Collins. Ele mora em Boulder, no Colorado, e já escreveu diversos sucessos de venda sobre empresas e liderança organizacional. Ao todo, já vendeu mais de três milhões de exemplares de suas obras, incluindo as clássicas *Feitas para durar* e *Empresas feitas para vencer*.

Em *Empresas feitas para vencer*, Collins introduz a ideia de "primeiro quem, depois o quê". E explica que o segredo para uma liderança organizacional eficaz não é decidir primeiro *o que* se deve fazer, mas *com quem* você realizará. *Primeiro* quem, *depois* o quê.[1]

É nesse contexto que ele usa a analogia do ônibus. Coloque as pessoas certas dentro do ônibus e tire as erradas lá de dentro (essa é a parte do "quem"). Então você poderá definir para onde levar o ônibus (essa é a parte do "o quê"). Primeiro quem, depois o quê — essa é a ideia.

Há mais um passo nesse processo de "Primeiro quem, depois o quê".

Depois de colocar as pessoas certas dentro do ônibus e tirar de lá as erradas, é preciso garantir que as pessoas certas se sentem nos lugares certos dentro do ônibus. Trata-se de uma questão crucial, e o motivo é o seguinte: as pessoas *certas* nos lugares *errados* podem, com o tempo, se tornar as pessoas erradas. Um administrador de personalidade forte sem o dom do ensino não será a pessoa certa se for o responsável por pregar todo domingo. Ou alguém extremamente relacional se sentirá péssimo caso permaneça no subsolo da igreja contando as ofertas ou administrando as finanças.

Podem até ser as pessoas certas — aliás, pessoas ótimas — mas, se estiverem no lugar errado do ônibus, não terão êxito. Nem sua equipe.

O que isso tem a ver com o Eneagrama? O Eneagrama pode ajudar você a encontrar seu lugar no ônibus. Aliás, em minha experiência, nada é mais eficaz em ajudar um grupo de indivíduos a cultivar a autoconsciência e a desenvolver reflexões práticas sobre que função eles estão mais capacitados a desempenhar dentro da equipe.

O Eneagrama ajuda você a entender qual pode ser sua contribuição para a equipe e também como se relacionar com os outros membros do grupo. Em outras palavras, ajuda você a encontrar seu lugar no ônibus. E você saberá onde os outros estão sentados — e por quê.

Mas também o ajudará a identificar não só sua contribuição individual, como também as relações interdependentes que terá com o resto da equipe.

Em outras palavras, o Eneagrama o ajudará a enxergar como você se encaixa.

Vale a pena reforçar essa última ideia. As equipes ministeriais, como as que encontramos em igrejas locais ou organizações paraeclesiásticas, tendem a ser muito interdependentes — mais semelhantes a um time de basquete do que de corrida.

Eu corria no final do ensino fundamental. Minha modalidade principal era o salto em altura. Nos eventos, eu participava da minha modalidade e meus colegas de time, das modalidades deles. Nossa esperança era que, no fim das contas, a contribuição individual de cada um levasse a uma vitória do time. Éramos, porém, muito independentes.

Mas eu também jogava basquete e, nesse caso, o tipo de time era bem diferente. Tratava-se de uma relação de

TRABALHO EM EQUIPE • 179

interdependência radical, do primeiro ao último minuto. Todos os cinco jogadores em quadra precisavam estar sincronizados uns com os outros para que o time tivesse êxito. Se alguém estivesse desligado, fazendo o que bem quisesse, dava para identificar na hora e é quase certo que o time sairia prejudicado. Precisávamos trabalhar juntos, de perto e com sinergia.

As boas equipes ministeriais são mais parecidas com um time de basquete do que com um time de corrida.

É necessário um alto grau de interdependência, visão e missão compartilhadas, íntima conexão relacional e fartura de boa comunicação. No entanto, essa interdependência torna ainda mais importante que entendamos a contribuição e o lugar do outro na equipe — o assento de cada um no ônibus.

Deixe-me dar alguns exemplos simples de como isso funcionou na prática na equipe ministerial que eu liderei por dez anos em Chicago. Em uma grande reunião da liderança da igreja, com 150 voluntários cruciais, decidimos aumentar a diversão do encontro. Resolvemos agitar as coisas com uma partida de um jogo de perguntas e respostas ao contrário — apresentávamos as respostas e os participantes deveriam responder em forma de pergunta. Eu sei, eu sei. Parece brega e, em vários aspectos, foi mesmo. Mas foi por um bom motivo. Quem apresentou o jogo? Eu, o pastor titular? Não. Mas não porque fazer isso rebaixaria minha função. Em vez disso, foi por causa de minha personalidade. Eu sou Oito, um tipo que tende a ser sério, intenso e até autoritário — não exatamente o perfil certo para o anfitrião de uma noite de jogos.

Em vez disso, convidamos meu colega Joey, que é Sete, para dirigir a partida. E quer saber de uma coisa? Foi espetacular! O Sete do Eneagrama em nossa equipe, que é um raio de sol por onde passa, espalhando diversão, fez uma tarefa excelente.

180 • O ENEAGRAMA E A IGREJA

Ficamos o tempo inteiro vidrados, rindo histericamente e nos divertindo individualmente e uns com os outros. Foi um imenso sucesso, e um dos motivos para isso foi o fato de Joey, o Sete, ter tomado a frente, não eu.

Mais um exemplo. Dois membros de nossa equipe ministerial estavam batendo cabeça por causa de uma questão importante, e isso estava começando a prejudicar seriamente o relacionamento entre os dois. Eles precisavam de alguém que mediasse o conflito em formação, antes que chegasse a um estopim.

Eles não procuraram a mim, um Oito, nem minha colega Carolyn, que é tipo Um. Em vez disso, recorreram a outro pastor principal que, conforme você já deve ter adivinhado, é Nove. Sua atitude despretensiosa, de bem com a vida, faz dele o suprassumo dos mediadores. Ele é calmo, paciente e cortês, capaz de enxergar todos os lados de qualquer questão. Era a pessoa perfeita para lidar com aquela tensão relacional, e ajudou a equipe a resolvê-la antes que fosse tarde demais. O Pacificador ataca mais uma vez!

Permita-me dar um último exemplo. Outro membro de nossa equipe de liderança também é Oito. Ele é apaixonado por questões de justiça social e luta pela dignidade dos marginalizados. É algo claramente gravado em seu cérebro, assim como o Um ama organização e o Quatro gravita ao redor da beleza.

Por vários anos, ele trabalhou com nossos estudantes. Por fim, fez a transição para trabalhar com missões e esforços evangelísticos e comunitários. Foi uma excelente mudança para ele, que despertou ainda mais sua paixão pelos vulneráveis.

O mais interessante é que ele jamais trabalhou em outro país como missionário, nem morou em bairros carentes. Mas isso não diminui o ímpeto e o poder de sua personalidade. Tinha a habilidade nata de cuidar de nossas equipes missionárias e mobilizar a igreja em iniciativas de alcance à comunidade.

Pessoal sem personalizar

Para construir uma equipe coesa de liderança, é preciso encontrar seu lugar no ônibus, isto é, ter clareza acerca da própria contribuição. É algo que vai além do que está escrito em sua lista de atribuições. Trata-se de quem você é.

Mas, conforme sabe qualquer um que já participou de uma equipe, mesmo que todos estejam no lugar certo do ônibus, as coisas ainda podem dar errado. Aliás, em algum momento, é quase certo que isso acontecerá. Problemas inevitavelmente surgem. As coisas acontecem, e há um nome para isso.

Chama-se *conflito*.

Nada é mais destrutivo para uma equipe do que um conflito. As equipes são como um casamento. A forma de lidar com os conflitos faz a diferença entre a união e a separação. Caso permitam que o conflito ganhe proporções desenfreadas ou escolham varrê-lo para debaixo do tapete, é provável que não consigam se sair bem ou até mesmo não sobrevivam como time.

No entanto, se souberem lidar com os conflitos — como abordá-los, discuti-los, resolvê-los, aprender com eles — então estarão muito mais bem preparados para sobreviver e prosperar.

Alguns anos atrás, conversei com um missionário experiente que estava de licença do campo missionário na igreja na qual eu servia na época. Falamos sobre o ministério dele ao longo dos anos e os vários países e culturas nos quais ele e a família haviam ministrado. Eu gostava muito de ouvi-lo falar com brilho nos olhos sobre a alegria de servir a Cristo pelo mundo afora.

Mas a conversa ganhou ares mais sérios. Seu rosto se ofuscou um pouco, o tom de voz ficou mais grave, assumindo um tom quase entristecido. Então começou a descrever aquilo que, com tanta frequência, arruína a vida de missionários. Não é a imoralidade, as heresias ou a perseguição das culturas não cristãs.

— Todd — ele me disse com toda seriedade —, o que acaba com tantos ministérios são *os conflitos dentro da própria equipe.*

— Sou todo ouvidos — respondi. — Por favor, me explique melhor.

Ele continuou:

— Mais que qualquer outra coisa, são os conflitos entre colegas de equipe o que mais leva os missionários a voltarem para a terra natal e deixarem o campo missionário para trás.

— É sério isso? — perguntei incrédulo. — Sempre imaginei que fosse por doença, falta de recursos ou estafa. Mas não conflito! Especialmente não por conflito com os próprios colegas de equipe. Como pode ser?

Essa conversa me abriu os olhos e, devo confessar, me deixou meio desconcertado.

No entanto, ela me apresentou uma verdade dura. O mesmo pode ser dito acerca das igrejas e dos ministérios em meu país. O conflito é letal. Tem sido fatal para muitas equipes de liderança e comissões de igreja, fazendo-as entrar em decadência e rachando congregações.

Já vi isso acontecer muitas vezes, e tenho certeza de que você também. Como é triste!

Equipes de liderança coesas precisam saber como lidar com conflitos interpessoais. Trata-se de uma necessidade fundamental. E, a meu ver, o lugar para começar é com esta verdade simples, mas contraintuitiva: todo conflito interpessoal é *pessoal* por natureza.

Quando você entra em conflito com um membro de sua equipe ou quando outra pessoa se magoa com você ou com alguém, pode apostar que, de nove em dez vezes, o conflito diz respeito a uma questão relacionada a diferenças de personalidade.

Ou seja, quase sempre é pessoal (isto é, personalidade).

Em geral, o conflito está ligado àquelas diferenças de personalidade que afetam uns aos outros de forma errada. Alguém está trabalhando no excesso de sua personalidade específica, e isso causa uma reação adversa no relacionamento com os outros da equipe.

Permita-me ser bem claro a esse respeito.

Dizer que o conflito é algo pessoal não significa que ele precisa *ser resolvido no âmbito pessoal*, nem que deve *ser levado para o lado pessoal*. E, sem dúvida, não quer dizer que devemos *personalizar* os conflitos e começar a julgar os outros, presumindo o pior, em vez do melhor, ou nos encher de suspeitas quanto às intenções dos outros. Mas significa que a maioria dos conflitos que enfrentamos diz respeito a nossa personalidade.

Pense nisso. Qual foi a última vez que você entrou em conflito com sua equipe ministerial? O que aconteceu? Sem dúvida, tinha algo a ver com alguém presumindo algo que não deveria, ou alguém reagindo de um jeito que chateou os outros da equipe, ou alguém fazendo algo que não lhe cabia fazer.

Boa parte dos conflitos que temos com outras pessoas da equipe resulta de enxergar o mundo de maneiras diferentes. Quero enfatizar essa questão, por ser tão importante. A maioria dos conflitos que você enfrentou não aconteceu porque alguns não se importam com a equipe ou são mais egoístas que os outros, ou por terem más intenções, ideias tolas ou motivações baseadas apenas nos próprios interesses. Nada disso!

Aconteceu porque os outros reagem às situações, abordam as decisões ou reagem às ideias de maneira diferente.

Quando levamos os conflitos de personalidade para o lado pessoal, as coisas podem começar a sair do controle. Todos se retraem dentro do próprio refúgio e miram o alvo na testa do outro, com munição preparada para uma longa e violenta batalha. Nesse tipo de situação, não há vencedores. Todos perdem, não só a equipe, mas também aqueles a quem ela deveria servir e liderar.

O conflito é parte natural de qualquer equipe. Nem todo conflito é ruim. Pelo contrário, alguns são bons e até mesmo necessários. Ainda mais necessário, porém, é uma ferramenta para navegar pelo conflito, a fim de que ele não se torne destrutivo, mas produtivo. Essa ferramenta é o Eneagrama.

Despindo-se com o Eneagrama

Quando pensamos em equipes de alta performance, nossa tendência é lembrar de coisas como competência, habilidades, conhecimento, energia e visão. É raro pensarmos naquilo que as pesquisas revelam que possa ser o fator mais importante para o sucesso de uma equipe: *confiança*.[2]

A confiança é o combustível de ponta para as equipes de alta performance. É o grande multiplicador das capacidades de um time. Com ela, é possível conquistar algo extraordinário; sem ela, talvez não dê para chegar nem à hora do almoço. Uma dose extra de confiança lubrifica os relacionamentos e libera todos os comportamentos fundamentais para uma boa dinâmica em equipe. Em contrapartida, a falta de confiança é como areia nas engrenagens. Torna-se mortal para o desempenho da equipe.

Meus filhos adoram futebol e, por anos, participaram de times que viajavam para partidas em campeonatos fora da cidade. Lembro-me, porém, de um deles contar sobre um colega de time que não parecia se dar bem com o restante dos jogadores. Ele não levava os treinos a sério, implicava sem motivo com as outras crianças e não parecia gostar muito do esporte.

Bem, o que aconteceu foi o seguinte. O resto do time percebeu. E não confiava nele. Isso ficava evidente durante as partidas.

Como?

Ninguém tocava a bola para ele!

É isso mesmo. Aquele time de garotos do quinto ano tentava vencer as partidas de futebol fazendo questão de evitar tocar a bola para outro jogador do mesmo time — alguém em quem não confiavam, que percebiam não estar totalmente comprometido e imaginavam que não os defenderia.

Outros times — até mesmo equipes formadas por adultos racionais, saudáveis e maduros em outros âmbitos da vida — podem funcionar da mesma maneira. Pode acontecer de cairmos na armadilha de não tocar a bola para um colega porque não confiamos nele. Quando isso acontece, o time para de funcionar e começa a perder.

Como construir confiança? Como manter a confiança? O escritor e consultor de negócios Patrick Lencioni fala sobre a importância de compartilhar sua história. Chama isso de "despir-se".[3]

Trata-se de uma maneira de convidar a pessoa a compartilhar algo a seu próprio respeito. Nada sensacionalista ou que cause estranhamento, mas algo pessoal. Não precisa ser algo embaraçosamente privado (seu segredo mais humilhante, por exemplo). Mas deve ser algo profundamente verdadeiro a seu respeito, o tipo de coisa que você dividiria com um amigo íntimo. É um exercício maravilhoso de construção da confiança.

O Eneagrama ajuda você a "se despir" com sua equipe sem qualquer constrangimento. Você pode começar simplesmente falando sobre seu número. Conte para sua equipe como é ser você. É impossível ser mais pessoal do que isso! Deixe sua equipe perceber como você é por dentro e o que faz seu mundo girar. Dê a eles a possibilidade de sentir como você aborda a vida, como enxerga o mundo. Ajude-os a entender suas motivações, reações emocionais, as coisas que o irritam ou que chamam sua atenção. Tudo isso são pontos certeiros do Eneagrama.

Uma mulher extraordinária de Arkansas ensina há anos sobre o Eneagrama. Ela é uma Oito brilhante, intensa, compassiva e corajosa. Tenho afinidade especial com outras pessoas tipo Oito, é claro, mas fico ainda mais intrigado com as mulheres Oito — sem dúvida, o tipo mais incompreendido no universo do Eneagrama.

Essa mulher lidera retiros nos quais os participantes são convidados a fazer uma representação visual da própria vida. Pegam uma cartolina grande, daquele tipo que usávamos para os projetos escolares, e a enchem de imagens, decorando com tudo que julgarem útil para ajudá-los a contar a própria história.

É uma ideia maravilhosa e um ótimo exercício para desenvolver coesão com a equipe. Pode ajudar você a conhecer melhor sua própria história e ajudar os outros a também o entenderem melhor. É outro jeito de "se despir" e promover profundidade, intimidade e confiança entre os colegas de equipe.

Conversas agudas

Contar a própria história é uma prática que cultiva a confiança entre os membros da equipe. Conversas também, sobretudo "conversas agudas".[4] A autora e *coach* de liderança Susan Scott cunhou essa expressão para definir o tipo de diálogo robusto e bem pensado que precisamos ter, mas que costumamos evitar. É claro que, ao ouvir a palavra *aguda*, não tendemos a pensar nas conversas cheias de amenidades que costumamos ter enquanto tomamos café na confraternização semanal da equipe de funcionários. Longe disso.

Scott, porém, chama essas conversas de agudas por serem corajosas, autênticas e honestas. São agudas porque escolhemos parar de nos esconder e começar a nos conectar. Derrubamos os muros de defesa e começamos a nos relacionar de maneira mais genuína e vulnerável. Scott explica: "Em sua forma mais simples, uma conversa aguda é aquela na qual paramos de nos esconder atrás de nós mesmos e a transformamos em algo real".[5]

Sem dúvida, é difícil sair de nosso esconderijo pessoal e ter uma conversa real. Preferimos nos esconder atrás de nossa personalidade. Aliás, somos extremamente habilidosos em usar nossa personalidade para nos proteger, e cada um de nós tem uma maneira de fazer isso que é única à própria personalidade.

Por ser Oito, é automático para mim usar a força de minha personalidade para me defender daquilo que entendo ser uma ameaça. Para o Dois, é natural usar o charme para se manter seguro. Para o Cinco, é tentador se retirar para os recônditos da própria mente a fim de evitar as pressões dos relacionamentos. E para o Sete, é fácil voar para o futuro e reconfigurar a realidade no intuito de evitar uma conversa dura ou um relacionamento difícil.

No entanto, quando deixamos a personalidade tomar conta e erguer seus muros de defesa, acabamos nos alienando da intimidade genuína e da conexão verdadeira. Acreditamos na mentira de que ela nos manterá seguros; no fim das contas, porém, o tiro sempre sai pela culatra, e por uma razão simples: mais de minha *personalidade* significa menos de *mim*.

As conversas agudas nos ajudam a sair de trás do excesso de nossa personalidade. Baixamos a guarda e tiramos a máscara. Diminuímos o ritmo e nos abrimos. Paramos de interpretar as coisas como ameaças e começamos a nos entregar a um processo que leva a maior vulnerabilidade e abertura.

É bonito de ver quando acontece. Já passei por isso várias vezes, e suspeito que você também. Estou lá sentado em minha sala pastoral conversando com um membro decepcionado, que se sente frustrado com uma decisão que tomamos em relação ao ministério de louvor, ao currículo infantil ou à estrutura de manutenção da igreja. Tudo começa bem, até que a temperatura começa a subir — e eu entro na defensiva. Logo, ambos perdemos o fio da meada e nos envolvemos em uma espécie de batalha de trincheira no diálogo.

Até que, aparentemente do nada, uma reviravolta acontece. Um de nós ou ambos saem de trás da própria personalidade e tudo muda. O corpo libera a tensão, o rosto se abranda e o tom de voz parece menos ameaçador e mais convidativo. Saímos de trás de nós mesmos e engatamos uma conversa verdadeira. Nós nos conectamos, somos vistos um pelo outro e interagimos de forma honesta.

Ah, aí está você! Agora consigo vê-lo!

Permita-me compartilhar um de meus maiores arrependimentos no ministério. Um de meus colegas pastores e eu havíamos desenvolvido pontos de vista opostos acerca de como deveríamos lidar com uma decisão de liderança importante para a igreja. Ele estava convicto de sua opinião, e eu da minha. Nenhum se mostrava disposto a ceder um centímetro que fosse.

A situação continuou intratável por semanas, e eu me sentia cada vez mais frustrado com ele. Aquela situação precisava de uma conversa aguda, um diálogo aberto e honesto acerca de nossas diferenças de opinião. Infelizmente, não foi isso que aconteceu.

Em vez disso, reprimi minhas frustrações, e isso, é claro, não ajudou em nada. Só piorou uma situação que já era ruim. As suspeita cresceram. Começamos a falar pelas costas um do outro e a formar alianças com outros membros da equipe. Nosso relacionamento degringolava, ameaçando fazer naufragar toda a equipe ministerial.

Então, certo dia, decidi que resolveria aquele problema. Sem voltar atrás. Sem fazer perguntas. Entrei com tudo no escritório dele, confiante no poder de minha função como pastor titular e olhei bem em seus olhos.

— É hora de você procurar outro lugar para trabalhar — disse eu com uma objetividade cruel. Eu estava fervendo por dentro e não havia como voltar atrás. Naquele exato momento eu o havia demitido, e ele sabia disso.

Não recebi muitas palavras em resposta. Ele apenas reuniu seus pertences e foi embora.

Voltei para meu escritório, sentei-me atrás da escrivaninha e senti vontade de chorar. Tive a certeza imediata de que havia tomado uma decisão horrível, da qual me arrependo até hoje.

Essa história, porém, tem um final feliz. Vários meses depois, voltamos a fazer contato para conversar sobre o que havia acontecido. Só que, desta vez, foi diferente. Fizemos o que deveríamos ter feito desde o princípio. Tivemos uma conversa aguda. Saímos de trás da própria personalidade e fomos francos. Expressamos arrependimento, pedimos desculpas, estendemos perdão e derramamos lágrimas.

190 • O ENEAGRAMA E A IGREJA

Ele me *viu*, e eu também o *vi*, cada um em sua dor e humanidade vulnerável. Foi algo belo e proporcionou cura a nós dois. Hoje eu o considero um amigo querido.

Susan Scott explica que conversas como essas formam a essência dos relacionamentos. Aliás, ela usa uma equação simples para transmitir essa ideia valiosa.[6]

Conversa = relacionamento

Se você quiser uma equipe que funcione bem, não subestime o efeito positivo de conversas destemidas, vigorosas e francas. Em contrapartida, se a única coisa que você fizer for dar uma de bonzinho com um grupo de pessoas que você chama de "equipe", então não precisa do trabalho duro das conversas agudas. Contudo, caso deseje se unir às pessoas de maneira poderosa e transformadora, então essas conversas serão o caminho para você e sua equipe.

O Eneagrama o ajudará a facilitar as conversas agudas e a reconhecer quando você se sente propenso a colocar sua personalidade na linha de frente de defesa. E aponta para um caminho diferente. É claro que conhecer o Eneagrama não elimina as dificuldades da conversa. Mas pode habilitar os membros de sua equipe a falar com mais honestidade e com uma postura menos defensiva uns com os outros, a fim de esclarecer a situação em vez de esquentar o clima, e gerar mais compreensão e menos animosidade, mais empatia e menos ressentimento. Você se sairá melhor dessa.

Crie um perfil de sua equipe

Você conhece bem sua equipe? Será mesmo? Quanto você conhece as pessoas com quem passa a maior parte da semana no trabalho juntos? Quanto elas conhecem você? Você consegue explicar o que de fato motiva seus colegas, o que os irrita e o que os inspira? Eles são capazes de fazer o mesmo a seu respeito?

As melhores equipes que conheço, aquelas que prosperam juntas no ministério e cuidam com profundidade uns dos outros, fazem algo estratégico. Elas criam um perfil da equipe. Investem tempo e energia em conhecer uns aos outros de dentro para fora. Não são pegas desprevenidas pelas personalidades dos outros. Entendem-se, respeitam-se e apreciam passar tempo juntos.

Quando uma equipe chega a essa condição, é mágico! Há uma feliz sintonia em suas reuniões. Há um ritmo gracioso em suas interações. Há uma vibração no trabalho conjunto. É algo maravilhoso de observar e melhor ainda de participar.

Uma das igrejas que mais cresce na região metropolitana de Chicago tem trabalhado duro para conhecer os membros de sua equipe ministerial. Investem em treinamentos sobre o Eneagrama para a equipe completa e incentivam cada um a saber qual é o próprio número, além de aprender também sobre os outros oito tipos.

De fato, levaram tão a sério a tarefa de criar um perfil da equipe pautado pelo Eneagrama que colocaram o tipo do Eneagrama de cada um ao lado do nome na placa à porta de cada escritório, como um lembrete visual gentil de que nem todos enxergam o mundo da mesma maneira. Tem sido um benefício tremendo para a cultura da equipe e vem rendendo muitos frutos para toda a congregação. Uma equipe sólida significa uma igreja bem liderada.

Você já criou um perfil de sua equipe ministerial? Não se trata de física quântica avançada! Só requer tempo, intencionalidade e disposição em se abrir. Peça aos membros de sua equipe que dediquem tempo para conhecer o Eneagrama. Ajude-os a se familiarizar com os nove tipos. Convide-os a descobrir quem são. Então, separe um tempo longo juntos — de preferência um ou dois dias em um retiro fora do escritório — para debater o que aprenderam sobre o Eneagrama e sobre si mesmos.

Conheçam-se à luz do Eneagrama.

Uma das maiores vantagens desse tipo de exercício é que ele cultiva a confiança. Você também descobrirá que isso possibilita que a equipe inteira fale com muito mais franqueza sobre como é trabalhar uns com os outros. Melhor ainda: suas conversas agudas ocorrerão de maneira desimpedida, não ameaçadoras ou constrangedoras. Você saberá identificar o lado sombrio de sua personalidade e convidará a todos para dar uma boa risada com você. Estará muito bem encaminhado para mais transparência e vulnerabilidade.

Ao entrar nesse espaço vulnerável como equipe ministerial, permita-me incentivá-lo a estabelecerem três compromissos. Por experiência própria, aprendi que os grupos necessitam de parâmetros como estes para ajudar a consolidar o processo e facilitar a conversa.

Primeiro, comprometa-se a permanecer aberto. Esteja aberto acerca de como seus colegas se identificam. Alguns podem surpreendê-lo. Talvez você presuma que alguém é tipo Três, mas a pessoa insiste que é Sete ou Um. *Permita que o outro seja a autoridade acerca da própria experiência.* Não presuma conhecer melhor a pessoa do que ela própria se conhece. Você pode estar errado. Ela pode estar errada. Não mexa com isso no momento. Permaneça aberto. Confie que o processo se encaminhará devidamente.

Segundo, comprometa-se a se mostrar curioso. Há um comentário útil que pode ajudar você a ser curioso e engatar ótimas conversas. Quando um colega começar a descrever quem ele é, ouça com atenção e, se a pessoa disser algo que chame sua atenção, simplesmente diga: "Conte-me mais sobre isso". Então siga o direcionamento do outro. Permaneça ali. Demonstre curiosidade acerca de quem aquela pessoa é.

Terceiro, comprometa-se a não julgar. É um exercício de vulnerabilidade para sua equipe. Cada um se colocará totalmente à mostra para os outros verem. Isso pode assustar. Por isso, trabalhe para reafirmar, não para julgar. Não é preciso inventar elogios, mas seja generoso. Não há necessidade de ser excessivamente analítico ou crítico. Deixe que todos falem. Crie um espaço livre de constrangimentos que permita às pessoas falarem com abertura e honestidade.

Sou um grande fã de retiros de colaboradores. Em todas as igrejas nas quais trabalhei, desenvolvemos a prática de fazer algum tipo de retiro anual ou bienal da equipe. São oportunidades excelentes de conexão e renovação. Também podem ser formas valiosas de construir relacionamentos mais profundos e substanciais.

Há alguns anos, pedi a nossa equipe que lesse sobre o Eneagrama e, caso ainda não estivessem familiarizados, que identificassem seu próprio tipo do Eneagrama. Passamos dois dias fora em um lugar retirado muito agradável. Levamos também os cônjuges. Havia umas vinte pessoas.

A agenda para nosso tempo naquele local diferente era muito simples. Passamos as manhãs em conversa, depois a tarde e a noite em recreação, desfrutando tempo juntos. No debate matinal, fizemos apenas duas perguntas, uma para cada dia. No primeiro dia, cada um teve a oportunidade de responder à seguinte pergunta: como é ser você? O uso da linguagem e das categorias do Eneagrama nos ajudou a calçar os sapatos uns dos outros e a enxergar o mundo por meio dos olhos de nossos colegas. Foi extremamente esclarecedor.

Então, no segundo dia, fizemos a seguinte pergunta: como é ser casado com você? Lembre-se, nossa equipe ministerial estava acompanhada do cônjuge. Responder a essa pergunta é uma experiência muito diferente quando seu cônjuge está sentado a seu lado, absorvendo cada palavra que você diz.

Sem sombra de dúvida, esse foi o retiro mais bem-sucedido de que já participei. Nossa equipe riu e chorou em conjunto, às vezes simultaneamente, enquanto todos mergulhávamos com profundidade na vida um do outro de maneira que nunca havíamos feito. Os insights que reunimos acerca da vida e do casamento um do outro foram extraordinários. Ficamos pasmos com o quanto descobrimos e crescemos.

Só podemos agradecer ao Eneagrama por essa experiência. Aliás, só podemos agradecer ao Eneagrama por nos ajudar a ser mais abertos, a crescer em intimidade juntos e a nos tornar um time de verdade.

9

Igrejas

São como famílias

Será que as igrejas têm uma personalidade, assim como as pessoas? Não é uma pergunta tão estranha quanto parece. Eu sei, não temos o costume de pensar na igreja com uma personalidade. As pessoas têm personalidade, claro, mas não *grupos* de pessoas.

Certo?

Bem, não exatamente. É mais complexo do que isso. Vou explicar.

Antes de abordar a personalidade das igrejas, deixe-me falar primeiro sobre as famílias. Por que começar com famílias? *Porque as igrejas são como famílias.* E porque cada um de nós conhece de perto uma família. Aliás, viemos de uma família e sabemos como é viver em família.

Também sabemos que, nas Escrituras, muitas vezes, a igreja é descrita como uma família. Somos todos irmãos e irmãs em Cristo, irmãos na família da fé, filhos e filhas de Deus, espiritualmente ligados uns aos outros por um vínculo mais forte que o sangue.

Há mais uma razão para eu começar falando de família. A família é uma *rede dinâmica*. O que isso quer dizer? Significa que uma família é mais do que a soma de suas partes. A família é dinâmica, composta por duas ou mais pessoas que são, em si, muito complexas. E todos sabemos, por experiência própria, que uma família é mais do que a soma de pai + mãe + filhos.

Quando uma família se junta, algo a mais entra em cena. Há certas regras que organizam a família, certos limites, certas expectativas, prioridades, histórias e formas de enxergar o mundo. Tudo isso consiste em hábitos do coração e da mente que organizam um grupo de pessoas naquilo que chamamos de família.

Você percebe isso da primeira vez que passa tempo com a família de outra pessoa.

"Uau!", você diz. "Não fazemos assim lá em casa!"

Enquanto era pequeno, você presumia que sua família era exatamente como todas as outras. Então você cresceu e, ao passar tempo significativo com outras famílias, percebeu que as famílias podem ser tão diferentes quanto os indivíduos. Aliás, cada família tem uma marca registrada, resultante de viver a vida juntos. Isso pode ser chamado de "personalidade" da família.

As famílias têm, portanto, uma personalidade. *Trata-se do padrão organizador que emerge da interação entre os membros da família ao longo do tempo.* É algo de difícil definição, muito embora você o reconheça tão logo consiga enxergar.

Minha esposa e eu começamos a namorar no ensino médio (sim, fomos namoradinhos na escola!). Jamais me esquecerei de como foi conhecer a família dela no início de nosso relacionamento. Ela tinha pai e mãe amorosos, um irmão e uma irmã que não poderiam ser pessoas melhores. Mas preciso confessar que aquelas primeiras visitas a sua casa foram praticamente uma experiência transcultural. A família dela era tão diferente da minha! Embora morássemos na mesma cidade, fizéssemos as mesmas atividades e tivéssemos muitos valores em comum, havia algo de bem diferente em relação às duas famílias. É o que podemos chamar de diferenças de personalidade.

O psicólogo e teólogo Warren Brown explica como isso funciona: "Assim como todos os sistemas dinâmicos, as famílias lutam por estabilidade, equilíbrio ou homeostase. Ou seja, as famílias se esforçam para alcançar um padrão de organização que atenda consistentemente às necessidades internas e às pressões externas".[1]

Conforme você sabe, as igrejas também são famílias. E, como família, cada igreja tem sua história, suas tradições, seus costumes, suas expectativas e suas narrativas — exatamente como as famílias. Warren Brown diz que uma igreja, assim como uma família, tem "um temperamento coletivo e até mesmo uma personalidade".[2]

No entanto, ter uma personalidade não é exclusividade das famílias ou das igrejas. Isso se aplica a qualquer sistema dinâmico e completo, seja uma família, uma igreja ou uma empresa. Michael J. Goldberg é um consultor do Eneagrama que trabalhou com algumas das empresas mais influentes de todo o mundo. Uma das coisas que ele descobriu foi que as organizações, assim como as igrejas e famílias, têm personalidades distintas. Ele explica: "As organizações, assim como as pessoas, desenvolvem pressupostos básicos e crenças — tanto consciente quanto inconscientemente — que se unem para criar um significado compartilhado, a cosmovisão da organização".[3]

Em seu trabalho de consultoria, Michael Goldberg usa a teoria de personalidade do Eneagrama para ajudar a entender as diferentes culturas ou personalidades corporativas. Fornece exemplos úteis de personalidades diferentes de algumas grandes empresas.

Organizações tipo Um têm fortes normas e controles de operação para manter a excelência na qualidade (Motorola).

Empresas tipo Dois são voltadas para as pessoas, focadas em suprir as necessidades emocionais de funcionários e clientes (Mary Kay).

Empresas tipo Três gostam de realizações em alta velocidade, por meio de um processo de autopublicidade, produção e vendas supereficiente (McDonalds, Federal Express).

Organizações tipo Quatro oferecem produtos e serviços diferenciados que revelam sofisticação, elegância e bom gosto (Ritz-Carlton, Henri Bendel).

Empresas tipo Cinco focam o gerenciamento próximo de informações e ideias (C-Span, M&M/Mars).

Empresas tipo Seis se concentram em evitar ameaças da competição por meio da lealdade dos funcionários e de uma inteligência superior (a CIA).

Organizações tipo Sete produzem muitas ideias criativas por meio de redes interdisciplinares, a fim de sobreviver em meio a um mercado em constante mudança (3M).

Empresas tipo Oito permanecem no topo exercendo poder e controle e definindo padrões com sua força bruta em um mercado turbulento (Microsoft).

Organizações tipo Nove administram uma quantidade avassaladora de informações por meio da rotina de maneira confiável, previsível e organizada, com paciência e igualdade (US Postal Service).[4]

Goldberg, é claro, foi o primeiro a destacar que essa classificação não visa rotular as empresas ou colocá-las injustamente dentro de uma caixa. Em vez disso, o objetivo é explicar como a empresa trabalha em conjunto de forma previsível, com valores, objetivos, práticas e procedimentos comuns.

Toda empresa tem um jeito específico de fazer as coisas e de ser empresa. Em suma, tem uma personalidade distinta.

Tal líder, tais liderados

No início do ministério, tive o privilégio de servir como pastor associado em várias igrejas excelentes, sob a liderança forte de pastores notáveis. Parte do que fez essas experiências serem tão únicas, e também do que tornava aquelas igrejas tão fortes, era o fato de terem o mesmo pastor titular por um longo período.

Minha primeira experiência eclesiástica foi em uma congregação fundada e liderada pelo mesmo pastor por mais de trinta anos. A oportunidade seguinte no ministério foi com um pastor que cuidava de seu rebanho havia quase quarenta anos. Minha terceira experiência formativa ocorreu sob a tutela de um pastor que servira na mesma igreja ao longo de boa parte de sua vida adulta, pois mais de 25 anos.

Tornei-me grande fã dos ministérios de longa duração. É claro que essa não é a única maneira de servir uma igreja. Deus pode mover seus servos ao redor do reino, e certamente o faz. Mas há um grande benefício em permanecer fiel a um rebanho por um longo período.

No entanto, compartilho essa opinião não para encher a bola de pastorados que duram trinta anos. Em vez disso, quero dividir algo que observei enquanto servi em cada uma dessas igrejas. *A igreja assume a personalidade do líder.*

Talvez você já tenha ouvido isso antes, mas as igrejas se parecem com seus líderes. É verdade! Sobretudo se o líder está ali há muito tempo. Admito que é algo curioso. Por que um grupo tão grande e diversificado de pessoas, como uma igreja, assumiria a personalidade de seu líder? O que isso quer dizer? Como é possível?

Tem a ver com o poder da imitação. Nós, seres humanos, somos imitadores por natureza. Aprendemos a abrir nosso caminho no mundo predominantemente por meio da observação dos outros, o que nos leva a aprender deles. Somos projetados para imitar, conforme constatamos nas crianças pequenas. Também é possível identificar esse comportamento nos adolescentes. E, claro, também é possível vê-lo (embora de modos mais sutis) nos adultos. Os seres humanos são, em sua essência, imitadores de primeira.

A igreja fornece uma plataforma poderosa para imitação. Os membros copiam uns aos outros e também seus líderes. Fazem aquilo que veem os líderes fazer, não necessariamente de maneira robótica ou impensada, mas de formas profundas e sutis, assim como os filhos imitam as manias, as expressões faciais, as frases preferidas ou os gestos dos pais.

O comportamento é contagioso.

O psicólogo Warren Brown escreveu: "Quer notemos quer não, constantemente influenciamos e somos influenciados pelos comportamentos, pelas atitudes, pelos desejos e objetivos uns dos outros, por meio da *imitação recíproca*".[5]

Isso, por sua vez, explica por que, com o tempo, as organizações, inclusive as igrejas, refletem a personalidade de seu líder. Não dá para evitar. Nós imitamos aquilo que vemos. É o jeito de nosso cérebro trabalhar.

Isso não é necessariamente algo ruim. Aliás, nossa capacidade de imitação nos atende muito bem. A maior parte do que aprendemos ocorre por meio da observação de outra pessoa. Em seguida, vamos lá e fazemos igual. Isso se aplica a chutar uma bola de futebol, segurar o garfo e a faca ou a forma de orar.

Aprendemos por imitação.

Nove jeitos diferentes de ser igreja

Uma vez que há nove tipos diferentes de personalidades, existem também nove tipos diferentes de igrejas. Assim como há nove jeitos diferentes de estar no mundo, existem também nove jeitos diferentes de ser igreja. Analisemos cada uma dessas nove personalidades diferentes de igrejas. Estas são, é claro, minhas observações. Mas aposto que você as reconhecerá. Aliás, é possível que você esteja pastoreando uma delas.

Igrejas tipo Um têm forte senso de bom e ruim, certo e errado, verdade e falsidade. Uma igreja tipo Um confere elevado valor a ensinos sólidos e a uma vida santa. Tais congregações tendem a ter ministérios de ensino consolidados, discipulado intencional e clareza de missão. Mas também podem tender ao legalismo, à rigidez e à justiça própria.

Igrejas tipo Dois são voltadas para relacionamentos, do início ao fim. Entendem bem as pessoas e sabem suprir as necessidades humanas. Vibram com ministérios que atendem as necessidades dos membros da congregação e das pessoas que vivem na comunidade. Uma igreja tipo Dois é calorosa e receptiva. Sobressai no serviço às pessoas.

Igrejas tipo Três atribuem forte ênfase à excelência e à eficiência. Tendem a ter muitos programas, que são executados com elevadíssimo nível de qualidade. A equipe é competente e profissional. Os cultos de domingo têm alto valor de produção, mesmo que o orçamento seja baixo. O lugar tem toda uma atmosfera empreendedora. É fácil se conectar ali.

Igrejas tipo Quatro são profundamente comprometidas com relacionamentos autênticos e genuínos, e também com uma adoração de coração. Nada é enlatado, forçado ou pré-fabricado. A criatividade é valorizada, assim como as relações genuínas. A igreja tipo Quatro sabe testemunhar o sofrimento, sente-se confortável com lamentos e não tem dificuldade de convidar as pessoas à vulnerabilidade, à confissão e à conexão com Deus e uns com os outros.

Igrejas tipo Cinco tendem a ser predominantemente cerebrais, assim como as pessoas tipo Cinco que conhecemos e amamos. Uma igreja marcada por uma personalidade tipo Cinco é reflexiva e capaz de grandes insights visionários para o mundo. Sem dúvida, o ministério de ensino será forte, mesmo que, por vezes, pareça erudito demais para ser totalmente relevante.

Igrejas tipo Seis são marcadas por um senso agudo de conexão entre os membros. Baseiam-se intensamente na tradição, já que isso traz uma sensação de segurança e estabilidade. A lealdade e a confiança são importantes. Uma igreja tipo Seis também pode delimitar linhas que definem bem quem está "dentro" e quem está "fora".

Igrejas tipo Sete costumam ser lugares animados e cheios de energia. Em geral, são lideradas por líderes empolgados e extrovertidos, visionários de peso e convincentes contadores de histórias. Há uma cultura de experimentação e aventura, marcada por alegria, diversão e otimismo. Uma igreja tipo Sete provavelmente não realizará com muita facilidade momentos coletivos de contrição ou lamento. Mas sabem dar festas como nenhuma outra!

Igrejas tipo Oito são marcadas por um forte senso de autoridade, poder e influência. Para alguns, esse tipo de cultura eclesiástica pode parecer dominador demais. Para outros, pode ser animador e confortante. Uma igreja tipo Oito encontra formas de fazer sua presença sentida pela comunidade.

Igrejas tipo Nove se esforçam para obter equilíbrio, previsibilidade e rotina. Esse tipo de igreja se sente confortável com nuances e tensões. Uma igreja tipo Nove é fiel, constante e consistente. Mas esse tipo de congregação tende a ter dificuldades em fazer esforços evangelísticos e comunitários ousados. O que sobra em previsibilidade pode faltar em empolgação.

Já compus a equipe pastoral de três igrejas diferentes. Cada congregação era diferente em vários aspectos — teologia, história, denominação, geografia, demografia e tamanho. Também tinha personalidades bem distintas. Uma igreja era tipo Três, a outra tipo Um e uma terceira, tipo Nove, por serem lideradas respectivamente por um pastor tipo Três, Um e Nove por mais de vinte anos.

É claro que não existe uma forma certa de ser igreja. Cada um dos nove tipos de personalidade eclesiástica conta com pontos fortes e fracos. Mas o que precisamos apreciar é o seguinte: *As pessoas seguem a direção do líder. A personalidade do pastor importa para a vida da congregação.*

Três perguntas diagnósticas

Como saber o tipo de personalidade de sua igreja? Seguem três perguntas diagnósticas para levar em consideração. Você pode começar com uma pergunta simples:

A que sua igreja presta atenção? Em geral, isso entrega de cara a personalidade de sua congregação. Sua igreja valoriza correção doutrinária e precisão teológica? A fidelidade às tradições da igreja é importante? Ou importam mais a relevância e a criatividade no ministério? A igreja prioriza a justiça, uma adoração vibrante ou um alcance evangelístico ousado? As igrejas têm ênfases. Quais são elas? Se você analisar de perto, é bem provável que encontre pistas importantes da personalidade de sua igreja.

O que sua igreja negligencia ou até mesmo ignora? A segunda pergunta está intimamente ligada à primeira. Gosto de como Michael Goldberg exprime esse ponto: "As organizações, assim como as pessoas, desenvolvem pressupostos e crenças básicas — tanto conscientes quanto inconscientes — que criam um sistema de sentido compartilhado, a cosmovisão organizacional". Em consequência, "as organizações, assim como os indivíduos, têm pontos cegos característicos, além de pontos fortes".[6] Isso se aplica também às igrejas.

Que horas são em sua igreja? Não estou me referindo, é claro, ao fato de ser 15h31, horário de Brasília. Não é desse tipo de tempo que estou falando. Quero saber qual é a *orientação* temporal de sua igreja.

Você se lembra do capítulo 2, quando falamos sobre tríades e posturas? Ali abordamos a importância da orientação temporal, que é um jeito de explicar para onde a mente divaga quando você não está pensando em nada específico. Para onde vão seus pensamentos? Para o passado — uma conversa que você teve ontem, uma interação no trabalho semana passada que ainda incomoda você, um acidente que aconteceu quando você era criança, mas continua a lhe vir à mente com regularidade? Para o futuro — uma festa planejada para o fim de semana, a promoção que você mal pode esperar para conseguir no trabalho, o amigo que virá à cidade no fim do mês? Ou para o presente — como está o clima hoje, onde estão suas chaves do carro, o que seu filho adolescente está fazendo na escola agora mesmo?

Nossa orientação temporal, conforme você deve se lembrar, é consequência de nossa Postura — se reprimimos os pensamentos, os sentimentos ou as ações. (Caso precise de um lembrete dessas questões, eu o incentivo a voltar ao capítulo 2.)

É como se nós vivêssemos no passado, presente ou futuro, dependendo de nossa personalidade. Os tipos Três, Sete e Oito vivem no futuro. O Um, o Dois e o Seis vivem no presente. E os tipos Nove, Quatro e Cinco vivem no passado.

O mesmo se aplica às igrejas. Se sua igreja tem uma personalidade Três, Sete ou Oito, sua equipe ministerial e congregação passará a maior parte do tempo sonhando com o futuro, planejando eventos ou imaginando todas as possibilidades à frente. Já se sua igreja for tipo Nove, Quatro ou Cinco, você provavelmente passará muito tempo refletindo no passado, no grande legado da igreja, na história de sua fundação, na riqueza de sua história e tradição.

A moral da história é que as igrejas, assim como as pessoas, têm personalidade. E nos fará muito bem conhecer e entender a personalidade da igreja, assim como crescemos e nos desenvolvemos ao entender a própria personalidade.

O dom da igreja

Meu amigo Jim Samra é pastor de uma grande igreja em Grand Rapids, Michigan. Conheci Jim quando nos sentamos um em frente ao outro no refeitório de Christ Church, na Universidade de Oxford, no mesmo lugar onde foram filmadas cenas dos filmes da saga *Harry Potter*.

Na época, ambos estávamos cursando o doutorado em teologia. Ele em Oxford e eu em Cambridge, a apenas duas horas de distância um do outro. Eu havia ido a Oxford para um congresso e sido apresentado a Jim por um amigo em comum.

Jim concluiu o doutorado e escreveu uma excelente tese sobre a visão de comunidade do apóstolo Paulo. Sua pesquisa se concentrou na igreja, pois é exatamente nela que encontramos a visão de Paulo para a comunidade.

Com base em seus estudos acadêmicos e experiência como pastor de igreja local, Jim passou a amar a igreja. Aliás, ele gosta de falar sobre o *presente* da igreja. Seja qual for tipo de igreja ao qual você pertence ou que você lidera, a assembleia do povo de Deus é um presente — um presente uns aos outros e ao mundo.

Falha, com certeza. Ainda assim, belamente redimida.

Meu amigo Jim explica que a igreja é o lugar no qual é possível encontrar genuína unidade na diversidade. A igreja deveria ser algo que um sociólogo não consegue explicar. Deveria reunir pessoas que não teriam, de outro modo, pontos naturais de afinidade.

Creio que isso se aplica tanto à personalidade da igreja quanto à de seus membros. Há algo belo na reunião de personalidades diferentes, unidas sob o propósito do ministério e da missão.

As Escrituras falam sobre as "muitas formas da sabedoria divina" (Ef 3.10), reveladas na vida da igreja. A Bíblia está se referindo, nesse texto, à história surpreendente da salvação, apresentada primeiro no Antigo Testamento e depois plenamente revelada no Novo.

Mas eu gosto de pensar em como o Eneagrama nos ajuda a apreciar algo dessas muitas formas da sabedoria divina ao nos ajudar a enxergar a rica diversidade de personalidades no corpo de Cristo, bem como na diversidade de personalidades em cada expressão local desse corpo.

Quando o Eneagrama entra na igreja, ele ajuda você a apreciar o presente que a igreja é. Leve-o então para dentro da igreja e desfrute o dom e a glória do corpo de Cristo!

Conclusão

É impossível dar o que não se tem

Não faz muito tempo, sentei-me com um jovem pastor que serve em uma conhecida igreja de Chicago. Ele perguntou se eu tinha algum conselho para lhe dar.

— Duas coisas — comecei. Fiquei com a sensação de que nenhum dos conselhos seriam o que ele esperava ouvir. Mas tinha a firme convicção de que eram exatamente o que ele *precisava* escutar.

Aliás, é o que *eu* (talvez mais do que ele) precisava ter ouvido quinze anos antes, quando estava iniciando o ministério pastoral. Gostaria que alguém tivesse compartilhado isso comigo quando comecei a vida de pastor. Minha vida e meu ministério teriam sido melhores.

— Primeiro, conheça a si mesmo.

Ele me olhou de volta com ar curioso, dois terços surpreso de que esse fosse o primeiro conselho e um terço se indagando como fazer isso.

Acrescentei:

— Conhecer a si mesmo é um caminho negligenciado no conhecimento de Deus.

Ele jamais havia pensado nisso dessa maneira. A maioria de nós nunca o fez. Mas é verdade! E uma verdade espetacular. Conhecer a Deus é central para a vida do discipulado.

Mas se não nos conhecermos, nosso conhecimento sobre Deus será pouco mais do que papel machê cristão — muito fino e extremamente frágil.

Meu segundo conselho o pegou totalmente desprevenido.

— Conheça seu lixo — afirmei. — E quando falo em conhecer seu lixo, não estou me referindo à verdade abstrata de que você é pecador, ou de que luta contra o orgulho ou que às vezes perde a paciência. Tudo isso pode ser verdade — continuei. — Sem dúvida, é verdade no meu caso. Mas seu lixo não é esse. Essa é uma confissão feita na escola dominical que mantém todos a uma distância segura e que não impõe ameaças.

Então expliquei:

— Seu lixo se encontra, em grande parte, nas sombras de sua alma. É difícil de ver e pegar com firmeza.

Por "lixo" quero me referir a todos os impulsos pecaminosos e compulsões egocêntricas que temos muita dificuldade em combater. Parecem imunes à oração e são tão teimosos que não vão embora diante de um texto bíblico. São os vigilantes em nossa alma que jamais parecem dar trégua. Que nos impedem de crescer até a plena semelhança com Cristo. Que tornam o discipulado extremamente difícil.

Sei disso por experiência *pessoal* profunda e difícil. O lado sombrio de minha alma me segue com persistência há anos. Em todos os lugares para onde vou no ministério, ali está ele, às vezes me encarando ameaçadoramente de volta. Não me parece possível livrar-me dele.

Aquele jovem pastor me olhou entretido a princípio. Mas soube que eu estava falando muito sério. Então seu sorriso se transformou em um olhar curioso, indagador. Sua expressão facial gritava: "Muito bem, mas como é que eu faço isso?".

— O Eneagrama — disse eu.

Fiz uma pausa para permitir que ele assimilasse.

— O Eneagrama pode ajudá-lo a conhecer a si mesmo e conhecer seu lixo. — E completei: — O Eneagrama fará de você uma pessoa muito melhor e um pastor muito melhor.

Conhecimento pessoal

O grande reformador João Calvino começou suas clássicas *Institutas da religião cristã* com uma frase justificadamente célebre: "Nossa sabedoria, tanto quanto possa ser considerada verdadeira e sólida, consiste quase que exclusivamente em duas partes: o conhecimento de Deus e o conhecimento de nós mesmos".

Captou o que ele disse? A sabedoria verdadeira e sólida — aquilo que nos faz crescer como discípulos — tem duas partes, não só uma. É formada pelo conhecimento não só de Deus, mas também de nós mesmos.

Ou, voltando vários séculos atrás, Tomás de Kempis, autor do clássico *Imitação de Cristo*, explicou da seguinte forma: "O autoconhecimento humilde é um caminho mais garantido para Deus do que a busca após aprendizado profundo". Que diferença faria em nossa congregação — e vida — se todos tomássemos uma dose profunda de autoconhecimento humilde.

Lembre-se: os membros de sua congregação podem estudar a Bíblia com afinco, decorar passagens inteiras das Escrituras e até concluir um mestrado ou doutorado em teologia, mas ainda assim ser extremamente ignorantes em relação a si mesmos. Nós podemos falar "as línguas dos homens e dos anjos" (1Co 13.1), mas não saber articular muito bem quem somos.

Infelizmente, encontro cristãos assim eruditos o tempo inteiro. Sabem tudo sobre Agostinho, Edwards, Romanos e Gálatas, mas não sabem quem são. Sabem analisar gramaticalmente verbos gregos, construir belos sermões de três partes e organizar um pequeno grupo ou um evento evangelístico impressionante, mas não se conhecem. Conhecem bem a cultura, mas não fazem a menor ideia de quem é aquele indivíduo que o encara de volta no espelho. Têm conhecimento de tudo, menos do que mais importa — eles mesmos.

Aliás, a autoignorância é um perigo ocupacional para os pastorais. Talvez não haja nada mais letal para um ministério pastoral frutífero e eficaz do que um entendimento superficial de si mesmo, até mesmo porque a autoconsciência é a base do autocontrole. Pastores sem autocontrole podem ser perigosos para si mesmos e para o rebanho. Suspeito que esse seja um ponto que nem precise de argumentos para ser confirmado.

Passei mais de uma década no ensino superior como estudante e professor adjunto. Também passei mais de quinze anos no ministério pastoral, dando aulas e pregando centenas de sermões. Aprendi muito ao longo dos anos, tanto sobre o meio acadêmico quanto sobre a igreja.

O que chama atenção em meio a essas experiências é que é possível ter um conhecimento informativo sobre Deus, mas não um conhecimento transformador. Posso aprender muito acerca de Deus lendo materiais teológicos ou estudando a Bíblia. Mas, caso não se torne pessoal, não terá poder. Se não estiver conectado a minha vida, não afetará meu jeito de viver. Se não for integrado a quem sou, serão apenas palavras, palavras e mais palavras. Não será transformador, apenas informativo.

Para que o cristão cresça na maturidade em Cristo, é preciso saber como Deus se revela nas Escrituras. Mas o conhecimento da Bíblia só nos levará longe se for combinado à compreensão profunda de quem somos.

No salmo 139, Davi se deleita no conhecimento vasto de

Deus a nosso respeito. Ele se alegra com o fato de que Deus conhece cada pensamento e cada palavra nossa. Deus sabe tudo. O rei Davi confessa: "Esse conhecimento é maravilhoso demais para mim; é grande demais para eu compreender!" (v. 6).

A fim de crescer em nosso conhecimento sobre Deus, precisamos partilhar do conhecimento de Deus sobre *nós*. Necessitamos nos conhecer assim como Deus nos conhece. É claro que jamais chegaremos perto do entendimento amplo e vasto de Deus acerca de quem somos. Todavia, à medida que crescemos no conhecimento de Deus sobre nós, avançamos também no caminho do discipulado.

O autoconhecimento é essencial para o discipulado profundo e o pastoreio eficaz.

O autoconhecimento como caminho para o autossacrifício

Jesus tinha um jeito bem específico e concreto de falar sobre o discipulado: "Se alguém quer ser meu seguidor, negue a si mesmo, tome diariamente sua cruz e siga-me" (Lc 9.23). Na sequência, ele usou termos bem reais acerca de abrir mão da própria vida, perder-se e até morrer — e não como artifício retórico. Ao longo dos séculos, os cristãos seguiram seu exemplo. A crucificação do ego continua a ser central para a compreensão do que significa ser discípulo de Jesus.

Mas como isso está ligado à autodescoberta? A princípio, as duas ideias parecem se contradizer. Uma seria um impulso bíblico e cristão, ao passo que a outra seria produto de nosso mundo terapêutico.

David G. Benner fala sobre a ironia de buscar a autodescoberta, uma vez que o chamado do evangelho é para sacrificar o eu. Toda essa conversa sobre conhecer a si mesmo não seria uma baboseira psicológica, um mero modismo de nossa era pós-moderna?

Lembro-me de conversar sobre um problema no casamento com um cristão sábio mais velho. Disse-lhe que estava com dificuldade de contar a minha esposa como eu realmente me sentia a respeito de uma escolha que fizemos. Eu não queria seguir em frente com a decisão que tínhamos tomado, mas me sentia culpado, como se precisasse ir adiante apenas para não parecer egoísta ou preocupado com os próprios interesses. Nunca me esquecerei do que ele me disse: "Todd, você precisa descobrir quem você é antes de poder se entregar. Neste exato momento, você não sabe quem é, nem o que deveria fazer".

Isso me faz lembrar algo que John Stott disse em sua obra clássica *A cruz de Cristo*. Ele observou que a cruz de Cristo é a chave não só para a comunidade cristã, mas também para a autocompreensão do cristão individual. E isso é importante, Stott observou, não porque queremos satisfazer a nós mesmos nos enchendo de autoconhecimento, mas porque esse é o segredo para a doação do eu. Stott pergunta: "Como alguém pode dar aquilo que não sabe que tem?".[1]

Bingo! É isso. É impossível dar o que não se tem.

Entender a si mesmo é essencial para o chamado cristão de negar a si mesmo e amar os outros. Eu não sabia de fato quem eu era ou o que deveria fazer em cada situação. Estava à mercê de minhas emoções fluidas.

O discipulado deveria parecer um sacrifício estendido do eu pelo bem dos outros. Mas simplesmente não dá para saber a melhor forma de fazer isso sem entender quem somos.

Há um caminho negligenciado para o conhecimento de Deus e o crescimento em Cristo, que passa por se conhecer.

É esse tipo de conhecimento que torna seu conhecimento de Deus não só informativo, mas também transformador.

Agostinho, o grande teólogo da igreja antiga, escreveu muitas obras profundas de teologia. Mas é possível argumentar que a mais profunda delas — e, sem dúvida, a mais lida — foi sua autobiografia espiritual, *Confissões*.

Nesse livro magnífico e emocionante, Agostinho luta para entender, na presença de Deus, quem ele é em si mesmo, em suas fragilidades, em seus pecados e, sim, o mais importante, em Cristo.

O livro consiste em uma longa oração a Deus, cujo conteúdo é mais bem retratado por meio de uma prece muito simples que nós também precisamos aprender a fazer cada vez mais: "Senhor, que eu me conheça para que possa te conhecer".

Quando o Eneagrama entra na igreja, pode ajudar você e sua congregação a fazer exatamente isso.

Agradecimentos

Neste livro, assim como nos outros que já escrevi, sou muitíssimo grato às contribuições e influências de outros. O Eneagrama existe para ser aprendido e vivido em comunidade. Essa é uma grande verdade em minha vida. Minha mais profunda gratidão e meus sinceros agradecimentos à Calvary Memorial Church, igreja na qual tenho o privilégio de servir há dez anos e que me ajuda a crescer como pastor e a apreciar mais profundamente o fato de que pastoreio diz respeito a pessoas. Agradeço a equipe de colaboradores da igreja, sobretudo Gerald e Jonathan, pelas ótimas conversas sobre o Eneagrama e por serem amigos maravilhosos. Aos companheiros do Center for Pastor Theologians e, em especial, a meu colega de trabalho e amigo Zach Wagner, obrigado por me aturarem em minha obsessão pelo Eneagrama. Agora que este livro está publicado, não precisarei falar mais sobre o assunto! Minha esposa Katie e nossos sete filhos fabulosos, eu os amo profundamente e me alegro ao ver tudo que Deus tem feito em vocês e por meio de vocês — em toda a diversidade e todo o esplendor do Eneagrama que manifestam. Tenho a alegria de dedicar este livro a minha cunhada, Beth (Isch) Jones, a primeira pessoa a me apresentar o Eneagrama. Obrigada, Beth, por esse presente — e também por tantos outros. Você é um raio de sol, vibrando com vida e luz. Também me alegro em dedicar este livro a

Suzanne Stabile, que me ensinou sobre o Eneagrama. Passar um ano com Suzanne estudando o Eneagrama foi uma dádiva rara e preciosa — como ela é ao mundo. Obrigado, Suzanne! Por fim, gostaria de dedicar este livro a Gerald Hiestand, Jonathan Cummings e Zach Wagner, que transformaram a análise do Eneagrama e de seus desdobramentos para a vida e o ministério em uma tremenda alegria. Muito obrigado, amigos!

Notas

1. Toda verdade é verdade de Deus

[1] Richard J. Foster, "Exploring the Wisdom Tradition", Renovaré (blog), acesso em 29 de junho de 2020, >https://renovare.org/articles/exploring-the-wisdom-tradition>.

[2] Devo essa distinção entre procedência e direção a um comentário feito por N. T. Wright em *What Saint Paul Really Said: Was Paul of Tarsus the Real Founder of Christianity?* (Grand Rapids, MI: Eerdmans, 2014), p. 88.

[3] Douglas Sean O'Donnell, *The Beginning and End of Wisdom: Preaching Christ from the First and Last Chapters of Proverbs, Ecclesiastes, and Job* (Wheaton, IL: Crossway, 2011), p. 37.

[4] Don Richard Riso e Russ Hudson, *The Wisdom of the Enneagram: The Complete Guide to Psychological and Spiritual Growth for the Nine Personality Types* (Nova York: Bantam, 1999), p. 27. [No Brasil, *A sabedoria do Eneagrama: Guia completo para o crescimento psicológico e espiritual dos nove tipos de personalidade*. São Paulo: Cultrix, 2010.]

[5] Helen Palmer, *The Enneagram: Understanding Yourself and the Others in Your Life* (Nova York: HarperOne, 1988), p. 5. [No Brasil, *O Eneagrama: Compreendendo-se a si mesmo e aos outros em sua vida*. São Paulo: Paulinas, 1993.]

[6] Michael Mangis, *Signature Sins: Taming Our Wayward Hearts* (Downers Grove, IL: InterVarsity Press, 2008).

[7] Timothy Keller, *Deuses falsos: As promessas vazias do dinheiro, sexo e poder e a única esperança que realmente importa* (São Paulo: Vida Nova, 2019).

2. Três maneiras de transitar pela vida

[1] Ver Daniel Kahneman, *Rápido e devagar: Duas formas de pensar* (São Paulo: Objetiva, 2012).

[2] Kathleen V Hurley e Theodore Dobson, *My Best Self: Using the Enneagram to Free the Soul* (Nova York: HarperOne, 1993), p. 127-128. [No Brasil, *Meu eu melhor: Usando o Eneagrama para liberar o poder do eu interior*. São Paulo: Mercuryo, 1995.]

[3] Ver, por exemplo, Don Richard Riso e Russ Hudson, *The Wisdom of the Enneagram: The Complete Guide to Psychological and Spiritual Growth for the Nine Personality Types* (Nova York: Bantam, 1999).

3. Pastoreando o rebanho

[1] M. Craig Barnes, *The Pastor as Minor Poet: Texts and Subtexts in Ministerial Life* (Grand Rapids, MI: Eerdmans, 2004), p. xiii.

[2] A expressão é atribuída ao teólogo Stanley Hauerwas, citado por William Willimon, *Pastor: The Theology and Practice of Ordained Ministry* (Nashville: Abingdon, 2002), p. 60.

[3] Michael J. Goldberg, *The 9 Ways of Working: How to Use the Enneagram to Discover Your Natural Strengths and Work More Effectively* (Nova York: Marlowe & Company, 1999), p. 17.

[4] Helen Palmer, *The Enneagram: Understanding Yourself and the Others in Your Life* (Nova York: HarperOne, 1988, p. 7). [No Brasil, *O Eneagrama: Compreendendo-se a si mesmo e aos outros em sua vida*. São Paulo: Paulinas, 1993.]

4. Liderança

[1] Daniel Goleman, "What Makes a Leader?", *Harvard Business Review* (janeiro de 2004), p. 2.

[2] Idem, p. 3.

[3] George Marsden, *Jonathan Edwards: A Biography* (New Haven, CT: Yale, 2004), p. 5-6.

[4] Idem, p. 370.

[5] Ver Jim Collins, *From Good to Great: Why Some Companies Make the Leap . . . and Others Don't* (Nova York: HarperBusiness, 2001), p. 17-40.

[No Brasil, *Empresas feitas para vencer: Por que algumas empresas alcançam a excelência... e outras não*. Rio de Janeiro: Alta Books, 2018.]
[6] Ibid., p. 12-13.

5. Pregação

[1] Phillips Brooks, *Lectures on Preaching: Delivered Before the Divinity School of Yale College in January and February 1877* (Londres: H. R. Allenson, 1877), p. 5.

[2] Idem, p. 5.

[3] Idem, p. 8.

[4] O material a seguir, bem como a próxima seção sobre estilos de escuta, foi baseado nos excelentes insights de Ginger Lapid-Bogda, *Bringing Out the Best in Yourself at Work: How to Use the Enneagram System for Success* (Nova York: McGraw-Hill, 2004), p. 27-56.

[5] Charles Swindoll, *Saying It Well: Touching Others with Your Words* (Nova York: Hachette, 2012), p. xi. [No Brasil, *Falando bem: Toque pessoas com suas palavras*. Rio de Janeiro: CPAD, 2017.]

[6] Bryan Chapell, *Christ-Centered Preaching: Redeeming the Expository Sermon* (Grand Rapids, MI: Baker Academic, 2005), p. 27. [No Brasil, *Pregação cristocêntrica: Um guia prático e teológico para a pregação expositiva*. São Paulo: Cultura Cristã, 2019.]

6. Adoração

[1] James K. A. Smith, *You Are What You Love: The Spiritual Power of Habit* (Grand Rapids, MI: Brazos, 2016), p. 23. [No Brasil, *Você é aquilo que ama: O poder espiritual do hábito*. São Paulo: Vida Nova, 2017.]

[2] Idem, p. 76.

[3] Idem, p. 77.

[4] A. W. Tozer, *The Pursuit of God* (Camp Hill, PA: Christian Publications, Inc., 1982), p 96. [No Brasil, *À procura de Deus*. Curitiba: Betânia, 1975.]

7. Cuidado congregacional

[1] Helen Palmer, *The Enneagram: Understanding Yourself and Others in Your Life* (Nova York: HarperOne, 1991), p. 5. [No Brasil, *O Eneagrama:*

Compreendendo-se a si mesmo e aos outros em sua vida. São Paulo: Paulinas, 1993.]

[2] Idem, p. 5.

[3] Miriam Greenspan, *Healing Through the Dark Emotions: The Wisdom of Grief, Fear, and Despair* (Boston: Shambhala Publications, Inc., 2003), p. 1.

[4] Idem.

[5] Idem, p. 2.

[6] Idem, p. 3.

[7] Idem, p. 4.

[8] Ver Kenneth J. Doka, *Grief Is a Journey: Finding Your Path Through Loss* (Nova York: Atria, 2016), p. 76.

[9] Idem, p. 76-101.

[10] Minha ênfase na "comunhão interpessoal" se baseia na obra de Daniel Siegel, *Mindsight: The New Science of Personal Transformation* (Nova York: Bantam, 2010).

[11] Ver Curt Thompson, *Anatomy of the Soul: Surprising Connections Between Neuro- science and Spiritual Practices That Can Transform Your Life and Relationships* (Carol Stream, IL: Tyndale, 2010), p. 11-20. [No Brasil, *Conexões para a vida: Entender as conexões entre o cérebro, a consciência e as práticas espirituais pode transformar sua vida e seus relacionamentos*. São Paulo: Vida, 2012.]

[12] Siegel, *Mindsight*, p. 10-11.

[13] Thompson, *Anatomy of the Soul*, p. 13.

8. Trabalho em equipe

[1] Jim Collins, *From Good to Great: Why Some Companies Make the Leap . . . and Others Don't* (Nova York: HarperBusiness, 2001), p. 41-64.

[2] Ver Wendy Hirsch, "Trust: Does It Impact Team Performance . . . or Not?", *Science for Work*, 21 de novembro de 2016, <https://scienceforwork.com/blog/trust-impact-team-performance/>.

[3] Patrick Lencioni, *The Advantage: Why Organizational Health Trumps Everything Else in Business* (Nova York: Jossey-Bass, 2012), p. 37. [No Brasil, *A vantagem decisiva: Por que ter uma cultura saudável é o fator*

mais importante para o sucesso de uma empresa. Rio de Janeiro: Sextante: 2021.]

[4] Susan Scott, *Fierce Conversations: Achieving Success at Work and in Life, One Conversation at a Time* (Nova York: Penguin, 2002).

[5] Idem, p. 4.

[6] Idem, p. 5.

9. Igrejas

[1] Warren S. Brown; Brad D. Strawn, *The Physical Nature of the Christian Life: Neuroscience, Psychology, and the Church* (Nova York: Cambridge, 2012), p. 123.

[2] Idem.

[3] Michael J. Goldberd, *The 9 Ways of Working: How to Use the Enneagram to Discover Your Natural Strengths and Work More Effectively* (Nova York: Marlowe & Company, 1999), p. 5.

[4] Idem, p. 6.

[5] Brown, *Physical Nature of the Christian Life,* p. 80.

[6] Goldberg, *The 9 Ways of Working,* p. 5.

Conclusão

[1] John R. Stott, *The Cross of Christ* (Downers Grove, IL: InterVarsity Press, 1986), p. 274. [No Brasil, *A cruz de Cristo*. São Paulo: Vida, 2006.]

Sobre o autor

Todd Wilson é PhD pela Universidade de Cambridge. É ex-
-pastor sênior da Calvary Memorial Church, em Oak Park,
Illinois. Atualmente, atua como presidente do Center for
Pastor Theologians, ministério dedicado a preparar pastores e
teólogos para os desafios contemporâneos.

Compartilhe suas impressões de leitura,
mencionando o título da obra, pelo e-mail
opiniao-do-leitor@mundocristao.com.br
ou por nossas redes sociais

Esta obra foi composta com tipografia Palatino
e impressa em papel Pólen Natural 70 g/m² na gráfica Assahi